日本の虫

日本全国の昆虫スポットを親子で旅する

虫に会いに行く旅、「虫旅」。
この本は日本全国の虫旅スポットを集めた本です。
親子で、一人で虫旅を楽しみたい。
でも、どこにいく？
虫旅は遠くに行っても、近くに行っても、
虫との新たな出会いがあり、気づきがあります。
この本をもって、虫旅に出よう。

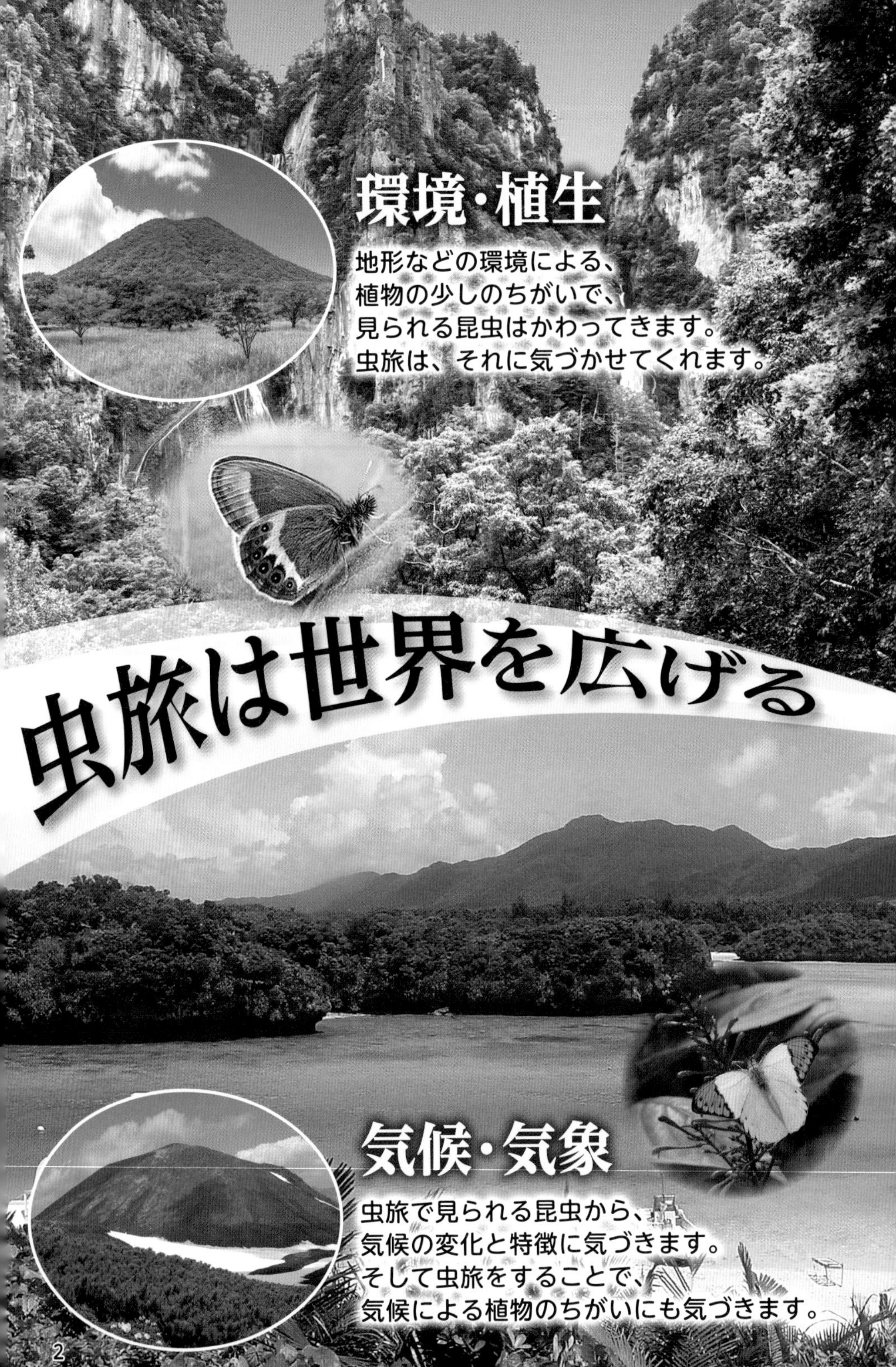

環境・植生

地形などの環境による、
植物の少しのちがいで、
見られる昆虫はかわってきます。
虫旅は、それに気づかせてくれます。

虫旅は世界を広げる

気候・気象

虫旅で見られる昆虫から、
気候の変化と特徴に気づきます。
そして虫旅をすることで、
気候による植物のちがいにも気づきます。

人のくらし

虫旅をすると、その土地の
観光地ではないところに目がむきます。
地域の住民の生活や農産物にも
気づかせてくれます。
その土地の名物の食べものも
思い出とともに虫旅の記憶に残ります。

虫旅をすると、いろいろな気づきがあります。
その気づきは自然だけでなく、人の生活や歴史にまで広がります。

歴史

城跡や歴史のある集落は虫旅の大事な経由地。
虫旅で、その土地の歴史に親しむことができ、
歴史にまで興味が広がってきます。

さあ、虫旅で
いろいろな気づきを広げていこう！

虫旅は世界を広げる

北海道で虫旅

北海道の虫旅は、寒い気候に生きる、魅力たっぷりな昆虫と出会えます。林はナラ類とカラマツの混合林が多く、市街地の付近にも昆虫がすむのにむいた林があります。オホーツク海沿岸や高山には林がなく、高山性の昆虫がいます。

アサヒヒョウモン

ウスバキチョウ

ダイセツドクガ

北海道の高山

北海道の高山は、大雪山が有名です。山頂付近にはお花畑が広がり、いろいろな昆虫を観察することができます。

ミヤマクワガタ

オオルリオサムシ

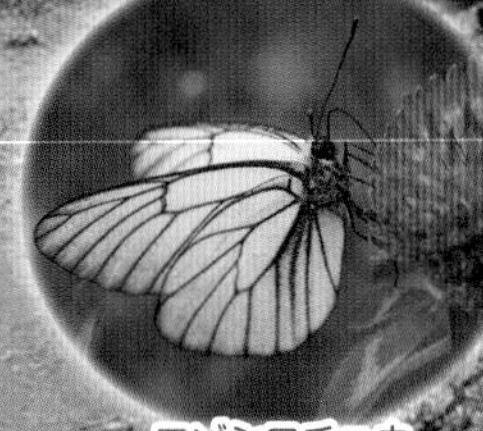

エゾシロチョウ

北海道の低地

北海道の低地には、ミズナラなどの林があります。そこにはオサムシ類、クワガタムシ類などが多くいます。チョウの種類も多いです。

ミヤマクワガタ

ヒメギフチョウ

ウラミスジシジミ

虫旅は世界を広げる

東北地方で虫旅

東北地方の虫旅は、豊かな自然とそこに生きる昆虫に出会えます。昆虫は多く、林道などに出てくるのが観察しやすいです。日本海側では、低いところからブナ林があり、ヒメギフチョウや秋田県南部以南ではギフチョウも見られます。

東北地方の林

東北地方の日本海側にはブナ林が広がり、クワガタムシ類やギフチョウ類、ミドリシジミ類がいます。

東北地方の草原

北上山地などには草原が残っており、また牧場も多くあります。そのようなところには、ヒョウモンチョウ類などのチョウや、ウシなどのふんに集まるコウチュウが見られます。

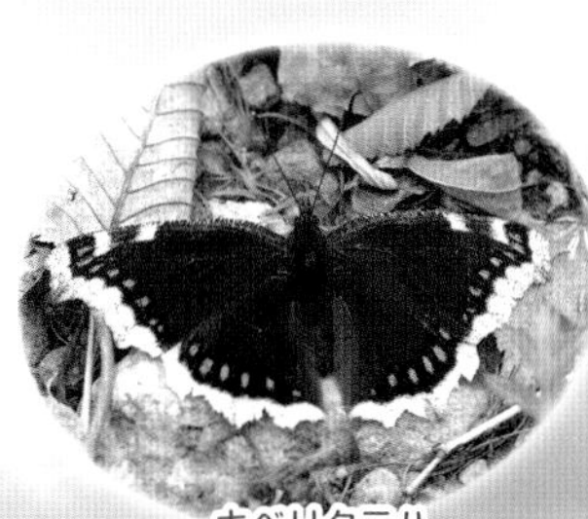
キベリタテハ

マイマイカブリ

オオセンチコガネ

虫旅は世界を広げる

信州で虫旅

信州の虫旅は、夏でもすずしく気持ちいい旅です。初夏から夏にかけて多くの昆虫が見られます。ナラ林や雑木林などでは、クワガタムシ類やオオムラサキなどが見られます。また上高地などに行くと、高山チョウがいる、いつもとちがった風景があります。

ミヤマモンキチョウ

タカネキマダラセセリ

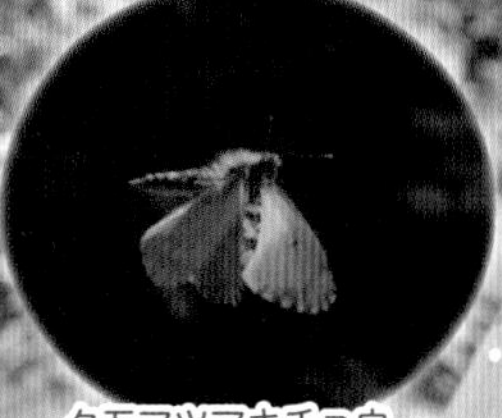
クモマツマキチョウ

信州の高山

長野県の高山は、飛彈山脈（北アルプス）が一番昆虫が豊かですが、バスで行くことができる乗鞍岳などでも高山の昆虫を楽しむことができます。

ヒメキシタヒトリ

キベリカタビロハナカミキリ

キベリタテハ

信州の亜高山

亜高山にはカラマツとミズナラなどが混ざった林があります。そこでは、そのような林でしか見られないヒメキシタヒトリなどの、かわった昆虫が見られます。

コキマダラセセリ

ウラギンスジヒョウモン

ヒメシジミ

フキバッタのなかま

信州の草原

信州に行くと、白樺湖周辺など、草原が広がっているところがあります。都市部の草むらとはちがった昆虫が見られ、信州の昆虫を楽しめます。

ブナ林

中部地方、関東地方では亜高山林より低い山にはブナ林があります。車で行きやすいところがあり、ギフチョウやクワガタムシ類などが多く、昆虫観察にぜひ行ってみたいところです。

ブナ林は東北地方から九州、四国の高い山まであります。

ギフチョウ

コルリクワガタ

ルリボシカミキリ

ヒメオオクワガタ

西日本で虫旅

中国地方の瀬戸内海側への虫旅は、草原、ナラ林、湿地の環境をめぐることができます。湿地とは、岩や地面から水がしみ出る環境で、ハッチョウトンボやネクイハムシなどの昆虫が見られます。また、東日本では高い山でしか見られないキマダラモドキやウラジロミドリシジミなどが、西日本では低い山で見られます。

ヒロオビミドリシジミ

キマダラモドキ

オオオサムシ

虫旅は世界を広げる

九州で虫旅

九州の虫旅は、照葉樹林が満喫できます。照葉樹林はあたたかいので、あたたかいところにすむ昆虫が多く見られます。ミカドアゲハなどの南方系のアゲハチョウ類が見られ、ヒラタクワガタの数が多くなり、トンボの種類も多くなります。また、広大な草原が残っており、草原性の昆虫も楽しめます。

ネキトンボ

スミナガシ

ヒラタクワガタ

コノハチョウ

リュウキュウウラボシシジミ

虫旅は世界を広げる

沖縄で虫旅

ヤエヤママルバネクワガタ

奄美大島以南の島の平地には、亜熱帯の林が広がります。ここにはノコギリクワガタのなかまやマダラチョウのなかまなど、多くの昆虫がいます。とくに奄美大島、沖縄には、固有の昆虫が多くいます。

山地

沖縄の山には亜熱帯の植物と照葉樹が生えています。大陸から分かれた時代が古いため、固有種も多くいます。

平地

平地の集落と海岸ぞいは亜熱帯の植物が生え、それらを食べるタマムシ類、ゾウムシ類などが見られます。また人家の生け垣の花には、美しいツマベニチョウなどのチョウが見られます。

ツマベニチョウ

アカギカメムシ

アオムネスジタマムシ

目次

地名のあとの★は、多いほうが難易度が高くなります。
★ひとつは、気軽に簡単に昆虫が楽しめるところです。

データ欄の記号

昆虫館パピヨンシャトー

大雪山のふもとの当麻町にある昆虫館です。見て、触れて、体験する昆虫ランドをモットーに、日本と世界各地に生息するチョウを中心とした標本展示室、昆虫の生きた姿を間近で見ることができる生態観察室があります。

[URL] http://town.tohma.hokkaido.jp/about-tohma/sisetuannnai/bunka-shisetu/288/
[住] 〒078-1314　北海道上川郡当麻町市街6区　[TEL] 0166-84-2001　[料] 高校生以上600円　小中学生400円　[開] 9:00～17:00　[休] 10月下旬～4月下旬

[URL] ホームページ　[住] 住所　[TEL] 電話番号
[料] 料金　[開] 開館時間　[営] 営業時間
[休] 休館、休業日

本書の使い方

本書は親子で虫旅をしたり、写真撮影でひとりで虫旅をしたりするための本です。
本書を読むにあたり、次の点を注意してください。

本文中の地図（国内）

本文中の地図は国土地理院地理院地図（https://maps.gsi.go.jp/）を引用、加工したものです。登山が伴うエリアの場合は別途登山用地図などを参照してください。

観察に適したところはアミを敷いてあらわしています。このエリアで昆虫をさがしてください。

囲みには、観察するうえでの注意点や、その地方のよってほしいところ見てほしいところなどを書いています。

観察地点までのおおよその時間を書いています。基本的に多くの観察地をまわるので、自動車がおすすめです。

虫旅に行く前に ①

図鑑・本で調べよう

この店内の写真は昆虫文献六本脚です。昆虫の書籍・雑誌などを扱っています。くわしくは 252 ページ。

学研の図鑑 LIVE ポケット昆虫

手軽な大きさで、約 1000 種の昆虫がのっています。少ない種類数に思えますが、よく見る昆虫は大体掲載しています。また。見分けにくいなかまは、標本写真をつかって、その特徴と区別点をしっかり記しているので、わかりやすくなっています。野外でつかうことを考えてつくっていて、虫旅の準備にも役に立ちます。

出版社：Gakken
判型：B6 変版 4 色 208 ページ
ISBN：978-405204393-2
定価：980 円（税込価格：1078 円）

虫旅に行く前に、どこでどのような昆虫がいつ観察できるかを調べることが大事です。そのためには図鑑が便利です。また図鑑は、撮影した昆虫や採集した昆虫を調べるときにもつかうので、種の区別点が書かれていて標本写真がわかりやすいことが大事です。ここにあげた図鑑は調べやすく、おすすめの図鑑です。

小学館の図鑑 NEO 新版 昆虫

この本は、標本をのせているので昆虫の種類がわかりやすくなっています。掲載種数が約 1600 種で、日本のよく見られる昆虫の多くがわかります。また、昆虫のくらし方や習性などものっていて、虫旅に行く前に楽しく調べられる図鑑です。

出版社： 小学館　判型：A4 判変形　4 色 208 ページ
ISBN-13 :978-409217303-3　定価：2000 円（税込価格：2200 円）

日本のトンボ 改訂版

この本は、日本にいるトンボ全種がのっていて、すんでいる場所、区別点などがくわしくのっています。トンボが好きな人はぜひ買っておきたい図鑑です。

出版社： 文一総合出版
判型：A5 判
4 色 532 ページ
ISBN：
978-482990119-9
定価：5500 円
（税込価格：6050 円）

新カミキリムシハンドブック

この本には、よく見るカミキリムシ 160 種がのっています。この出版社は、なかまごとの本をいろいろ出しています。

出版社： 文一総合出版
判型：新書版
4 色 128 ページ
ISBN：
978-482998146-7
定価：1600 円
（税込価格：1760 円）

日本の蛾

日本にいるガの約 3000 種をのせた図鑑です。この本には、多くの人がガと思われるものをのせていますので、撮影したガや採集したガは、これでほぼわかります。

出版社：Gakken
判型：B5 判
4 色 240 ページ
ISBN：
978-405406792-9
定価：9000 円
（税込価格：9900 円）

学研の図鑑 LIVE ポケット asobi 自然観察

この本は野外でつかうことを考えて、昆虫などの観察の仕方をのせた本です。昆虫のさがし方や観察の仕方、いろいろなトラップとしかけ方などがのっています。

出版社：Gakken
判型：B6 変版
4 色 160 ページ
ISBN：978-40520470-5
Kindle 価格：898 円

情報を手に入れよう

本・雑誌

本にのせている情報は、インターネットにくらべて確かなものが多くあります。とくに専門の雑誌の情報は新しく、参考になる記事が多くあります。

シン・八重山諸島採集観察地ガイド。　青木一宰編著

石垣島在住の著者が観察地に行き、まとめた本です。地図には、昼食などの情報ものっています。同じシリーズに、「琉球列島採集観察地ガイド」があります。一般書店では取り扱っていないので、直接問い合わせるか、昆虫文献六本脚、南陽堂書店に問い合わせてください。

出版社：自費出版（papilio@cb3.so-net.ne.jp）
判型：A5判4色80ページ
税込価格：8800円

季刊「ゆずりは」

年4回の発行です。チョウ愛好家のための雑誌ですが、採集した記事や撮影した記事などがのっていて、昆虫観察の参考になります。この雑誌は一般書店では扱っていないので、直接問い合わせるか、昆虫文献六本脚、南陽堂書店にお問い合わせください。

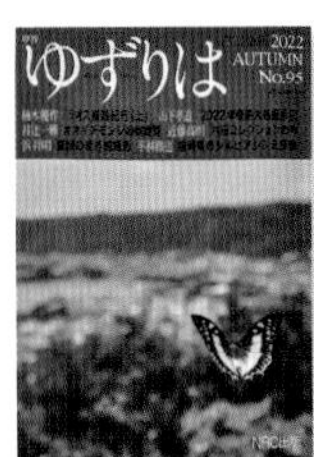

出版社：NRC　判型：A4判
税込価格：2000円
NRCのホームページ：
URL http://www.nrc-yuzuriha.com/index.html

BE-KUWA

年4回の発行です。カブトムシ・クワガタムシ愛好家むけの雑誌ですが、採集に行った記事がのっていて、とても役に立ちます。この雑誌も一般の書店ではほぼ扱っていないので、直接むし社に問い合わせるか、昆虫文献六本脚、南陽堂書店にお問い合わせください。

出版社：むし社　判型：A4判
税込価格：1430円
むし社のホームページ：
URL http://mushi-sha.life.coocan.jp/index.html

昆虫文献六本脚のホームページは、URL http://kawamo.co.jp/roppon-ashi/
南陽堂書店のホームページは、URL http://www.nanyodoshoten.com/

虫旅を楽しくするためには、旅する地域の細かい情報を入れておきましょう。その情報は、本から入手する方法と、インターネットから入手する方法があります。本は採集案内になりますが、ここに上げているもの以外は、現在はあまり発行されていません。

インターネット

自分の欲しい情報をすきなだけ入手できるのが、インターネットの利点です。昆虫観察のイベントや昆虫観察の旅行などの情報も入手することができます。

ただし、のっている情報の真偽を疑うようなホームページや誤情報を掲載しているものもあります。口コミサイトなどで確認しましょう。

対馬の昆虫館 v2

URL http://yohbo.main.jp/

対馬在住の yohbo さんが開設しているホームページです。チョウを中心に、対馬の昆虫の写真がたくさんのっています。また対馬のチョウの記録や標本写真などがあり、チョウを中心にした対馬の昆虫を知るときに、とても参考になるホームページです。

双尾Ⅱ

URL http://futao2.zouri.jp/

沖縄島在住の方のホームページです。沖縄のチョウの生態や記録のある島などが、このホームページにまとまっています。また離島の宿などの情報や、観光の情報もあります。知っておけば便利なホームページです。

昆虫採集ガイド

URL https://iko-yo.net/topics/insect

アクトインディが運営する、子どもとお出かけ情報サイト「いこーよ」に掲載されている昆虫採集特集です。昆虫採集の魅力や、昆虫館・昆虫体験イベントの紹介など、親子で体験できる昆虫の情報が盛りだくさん。

子供と一緒に昆虫についてさらに理解を深めたい時や、昆虫について学べるおでかけスポットを探すときにいいですね。

昆虫ショップに行こう

むし社

むし社は、昆虫採集の器具や標本作製の器具、書籍を販売しています。通信販売、ネット販売も行っています。

むし社のホームページでは、自社発行の書籍の案内、雑誌の案内、採集用品の案内のほかに、採集禁止の昆虫のコーナーがあります。さらにカブトムシ・クワガタムシのギネスのコーナーがあり、役に立つだけでなく、とても楽しいホームページです。

URL http://mushi-sha.life.coocan.jp/
住 〒165-0034　東京都中野区大和町 1-4-2
白鳳（はくほう）ビル 302 号室
TEL 03-5356-6416
営 11 ～ 19 時

虫旅に必要な昆虫観察や昆虫採集につかう器具がわかったら、次は昆虫ショップやカブトムシ・クワガタムシ専門店に行きましょう。

最近はインターネットだけのお店もふえましたが、むし社などのショップに行くと、器具を買うこともできるとともに、アドバイスや情報も入手することができます。

昆虫ショップは少なくなった一方、カブトムシ・クワガタムシを売っているお店はふえてきました。店によっては、観察や採集につかう器具を売っているところもあります。ペットカップ（俗称「プリンカップ」）はここで買うといいでしょう。

お店によっては、店員さんが情報とアドバイスをしてくれることもあります。

オオクワガタ モンスター

モンスターは店頭販売のほかに、通信販売も行っています。モンスターは、国内外のカブトムシ・クワガタムシの生きた虫を販売しているお店ですが、飼育用品のほか、採集・標本用の器具も扱っています。店長の安部さんはカブトムシ・クワガタムシが好きで、情報をよく知っています。

URL https://monster7.com/
住 〒132-0022　東京都江戸川区大杉 5-5-6
TEL 03-3653-3824　休 水曜日
営 平日は 17 ～ 22 時、土曜日：14 ～ 20 時、日曜・祝日：11 ～ 18 時

博物館で 虫旅

博物館では、その地域にすんでいる昆虫の標本を見ることができます。写真とちがって標本で見るのはとても勉強になります。また、植物やほかの動物も展示しており、その地域の生き物が見てわかります。さらに日本全体や、特別展で世界の昆虫なども見ることができます。

ここでは、北海道大学総合博物館の表（展示室）と裏（バックヤード）を見ていきましょう。

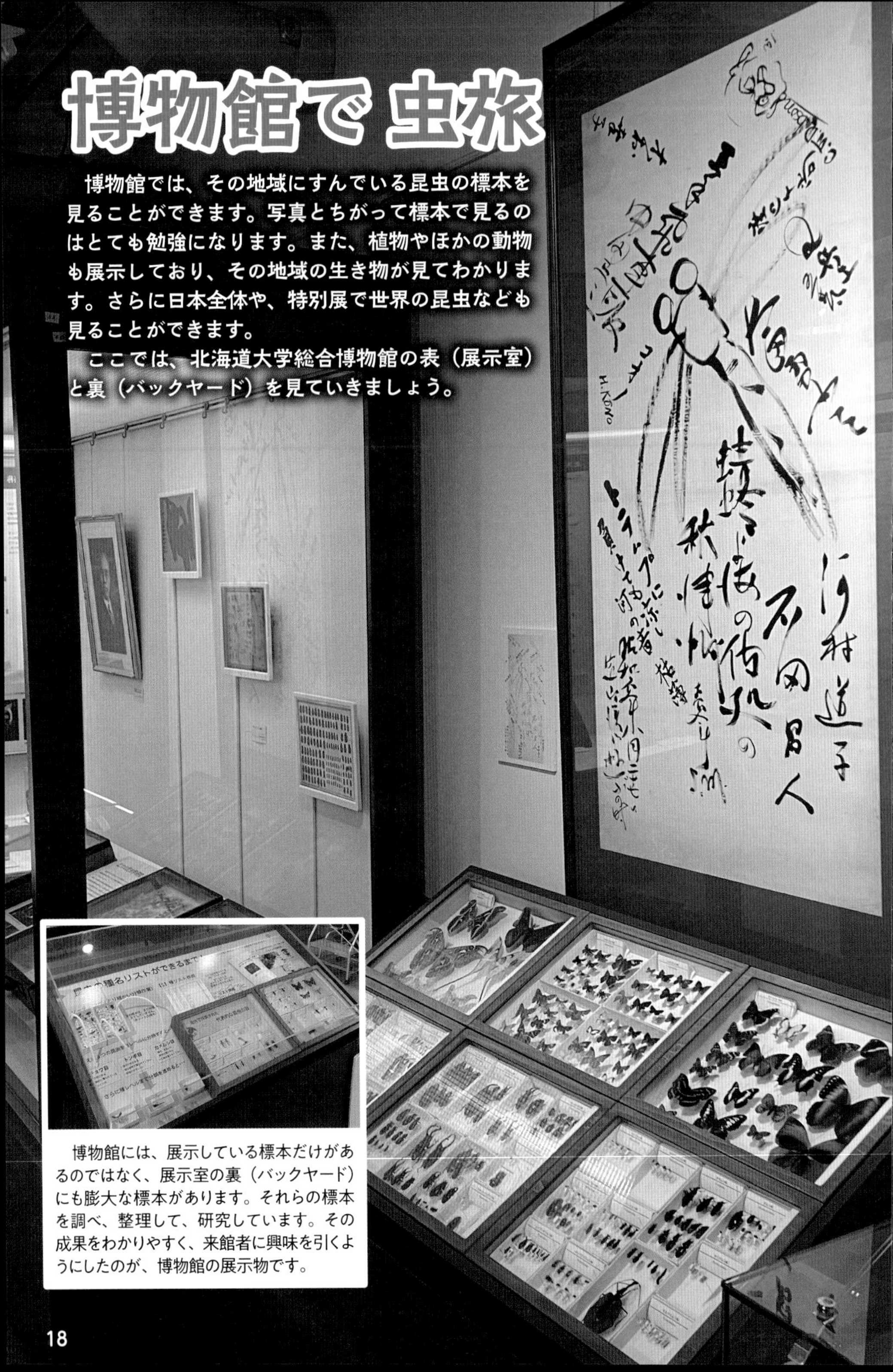

博物館には、展示している標本だけがあるのではなく、展示室の裏（バックヤード）にも膨大な標本があります。それらの標本を調べ、整理して、研究しています。その成果をわかりやすく、来館者に興味を引くようにしたのが、博物館の展示物です。

博物館の裏側

博物館のバックヤードには、とてもたくさんの標本があります。これらの標本は博物館の研究員が調査して採集してきたものだけでなく、寄贈されたものが多くあります。

標本箱の標本を調べる
大原昌宏教授

大学の博物館の各教室には、教授がいます。大きな博物館の学芸員・研究員は、ほとんどが博士号をもっています。

標本を収納しているところには、このように整理された標本箱もありますが、未整理の標本箱もあります。

標本の画像やデータ、調査結果をパソコンでデータベースに入力したり、研究成果を論文にしたりします。

行ってみよう！

北海道大学総合博物館

北海道大学総合博物館は、北海道大学の構内にあります。札幌農学校の開校以来、約140年にわたる研究の成果として、400万点を超す貴重な学術標本を所蔵しています。北海道大学は日本で最初に昆虫学教室ができたところで、有名な昆虫学者をたくさん出しており、その昆虫学者が集めた標本などを所蔵しています。常設展ではその一部を展示しています。

博物館を見学したあとは、北海道大学構内で、昆虫を観察しましょう。構内にはとても植物が多く、昆虫も多いです。

URL https://www.museum.hokudai.ac.jp/
住 〒060-0810　北海道札幌市北区北10条西8
TEL 011-706-2658
料 無料　開 10:00-17:00　休 月曜日

施設で虫旅

昆虫観察会を開いたり、生きた昆虫を見たりすることができる施設があります。

昆虫をさがし出すのにはコツがあります。コツは、昆虫にくわしい人から教えてもらうのが一番です。ここにあげた施設は養老孟司先生がかかわっていて、昆虫観察会を開いています。それに参加することで、昆虫の観察の仕方がわかり、さらに昆虫が好きになります。

顧問の**養老孟司**先生
養老の森にいろいろな昆虫が復活するのを願っています。

養老の森

「子どもも大人も自然を五感で感じることの喜びを見つけ出すこと」を理念にした「養老の森」が、山梨県道志村にあります。そこでは、放置されたスギなどの植林によって荒廃した里山を、以前の里山に復活させる試みを行っています。その里山に手入れをするイベントなどを年数回開いています。そのイベントでは、昆虫をはじめとする動植物の調査や、昆虫の観察を楽しむプログラムもあります。

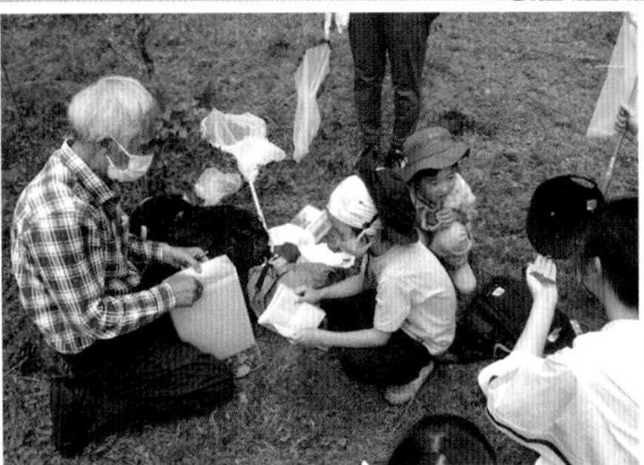

養老の森のイベントに参加するには、事前の申し込みが必要です。ホームページで確認してください。

URL https://www.yoro-mori.com/
住 〒402-0208　山梨県南都留郡道志村 5964
養老の森はキャンプ場「ネイチャーランド オム」内にあります。
URL https://http://www.natureland-om.co.jp/
TEL 0554-52-2275

ムシテックワールド　ふくしま森の科学体験センター

養老先生が館長をつとめるムシテックワールドは昆虫をテーマにした科学館です。「なぜだろうランド」で昆虫の不思議さを体験でき、また生きたカブトムシ・クワガタムシを見ることができます。屋外にはビオトープがあり、そこで昆虫を観察できるだけでなく、昆虫を観察できる「自然体験」のイベントもあります。

標本も展示しています。

「自然体験」イベントで、水の生き物を調べている様子です。「自然体験」は開催日ごとにテーマが決まっていますので、ホームページで確認してください。

ムシテックワールドは昆虫を楽しめるだけでなく、科学全般を楽しむことができます。館内にはフライトシミュレーターがあり、また科学実験、工作のプログラムをおこなっています。みて、やって、楽しむ科学館です。

URL http://www.mushitec-fukushima.gr.jp/
住 〒962-0728　福島県須賀川市虹の台 100
TEL 0248-89-1120
料 一般 410 円　高校・大学生 200 円
小学・中学生 100 円　未就学児 無料
開 9:00-16:30（入館は 16:00 まで）
休 月曜日（月曜日が祝日の場合は、翌日）、年末年始

虫旅のスケジュール

昆虫には、見つけやすいポイントがあります。そのような場所をまわりながら昆虫をさがすと、初心者でもとても楽しい昆虫観察ができます。このページを参考にして、昆虫が集まる場所をまわって、虫旅のスケジュールを立てましょう。

花

草むらのアザミやオカトラノオなどの花を見てみましょう。チョウなどがきます。そして花に近づいてじっくり見ましょう。コウチュウなどが止まっています。

家を出発

観察地につく間、図鑑を見て、今日観察できる昆虫を調べておきます。

観察地に到着

まず花をさがします。花があったら、昆虫をさがしましょう。

お昼ご飯

現地に弁当をもっていくと、食べる時間が短くて、観察できる時間が長くできます。

6:00 → 10:00 → 12:00

クリや、木にさく白い花にも昆虫がよく集まります。チョウなどは見て観察し、コウチュウは下にビニールがさをおいて、花をたたいて、落ちてきたものを観察しましょう。

林の中

林の中の道を歩いて、倒れた木やそこについているきのこを見ると、コウチュウなどが見つかります。

サトキマダラヒカゲ

エグリトラカミキリ

昼の樹液

昼には、いろいろなチョウやコウチュウなどがきます。運がよければ、カブトムシ、クワガタムシも見つかることがありますが、夜に比べて少ないです。

林の中で観察

雑木林、ナラ林を見つけたら、中に入って昆虫を観察します。きのこや朽ち木にいる昆虫もいます。

林の中で樹液を観察

樹液を見つけて、昆虫を観察しましょう（樹液が流れている木の見つけ方は63ページ）。樹液を見つけたら夜にまた行けるように、行く途中に目印のテープを貼ります。

13:00

14:00

16:00

林のへりで昆虫観察

少し暗くなったら、林のへりで昆虫をさがします。ヤナギやトネリコの枝の先を見ると、そこに止まっている昆虫が見つかることがあります。

林のへり

林のへりは、林の昆虫、草むらの昆虫、どちらも見られます。林の昆虫が活動するのが見やすいので、観察するのにいい場所です。

虫旅のスケジュール

夜の樹液

夜の樹液にはカブトムシやクワガタムシ、そのほか、ガなどがやってきます。

あかり

水銀灯や蛍光灯のあかりには、ガやコウチュウなどの夜行性の昆虫がやってきます。LED にはきません。

19:00 夕食

樹液には７時半ごろからくるので、ゆっくり食べましょう。

21:00 昼に見つけた樹液で観察

昼に見つけた樹液に行き、夜に樹液にくる昆虫を観察します。

22:00 あかりで昆虫観察

樹液で観察したあとは、街灯やコンビニなどのあかりで昆虫をさがしましょう。

23:00 就寝

翌朝 6:00 果樹園で昆虫観察

樹液にくる昆虫はくさった果物にもきます。近くに果樹園がある場合は、朝、昆虫をさがしてみましょう。

果樹園

果樹園には、落ちた果物があります。そこにはカブトムシ、クワガタムシなど、樹液に集まる昆虫が見られます。

山頂・尾根

山頂や尾根には、その付近で発生した昆虫とふもとから上がってきた昆虫の両方が見られ、昆虫が多く見られるところです。山頂は広場になっているところが観察がしやすいです。

朝食

7:00

丘の上や尾根で昆虫観察

自動車で山頂まで行くことができる山や尾根があれば、朝にチョウなどが集まっていることが多いので、行ってみましょう。

8:00

10:00

草原で昆虫観察

日が高くなると、草原はとても暑いので、暑くならないうちに、草原で観察します。水分はこまめにとりましょう。

12:00

昼食

せっかくですので、その土地の名物を食べましょう。

草原

草原には、ヒョウモンチョウ類やセセリチョウ類、バッタのなかまなど、林で見られない昆虫がたくさんいます。花、草の葉、地面や背の低い木の葉や幹を見てまわりましょう。

渓谷

渓谷では、そこで発生するトンボやカゲロウなどの水生昆虫のほか、まわりの林からチョウなどがおりてきます。水をすうものもいます。

川や池で昆虫観察

近くに河原がある川や池がある場合、よってみましょう。トンボやカゲロウなどの、幼虫が水の中ですごす昆虫だけでなく、チョウが水を吸いにきていることがあります。

13:00 → 14:00 → 16:00 → 19:00

集落の近くで昆虫観察

帰る前に、ちょっと集落周辺や寺社などで昆虫を観察するのもいいです。人家周辺の花壇でも多くの昆虫を観察することができます。

現地を出発

帰宅

集落

集落の人家には花壇があったり、庭木を植えたりしており、そこに昆虫が集まることがあります。アゲハチョウ類はミカンなどの木に集まります。ただし、住民の迷惑にならないように気をつけましょう。

動物のふんを見つけたら、コウチュウをさがそう！

　動物のふんには、ウジ（ハエの幼虫）などがいて、きたないと思うかもしれません。しかし、ふんにはまだ栄養が残っていて、その栄養を食べる昆虫がよってきます。しかも、その昆虫の中には、小さいけれど、つのがあってかっこいいダイコクコガネのなかまやエンマコガネのなかま、センチコガネなどがいます。

1

　牧場のウシやウマ、野外のシカなどのふんがあります。ダイコクコガネのなかまやエンマコガネのなかま、センチコガネはどろっとしたふんにはきません。

2

　ふんをぼうなどでひっくり返していきます。本当はプラスチック手袋をしていた方が、きれいにふんをひっくり返すことができます。

3

　ひっくり返すと、エンマコガネのなかまが出てきました。このコウチュウは1cmくらいの大きさですが、ルーペなどで見ると、つのがあることがわかります。

4

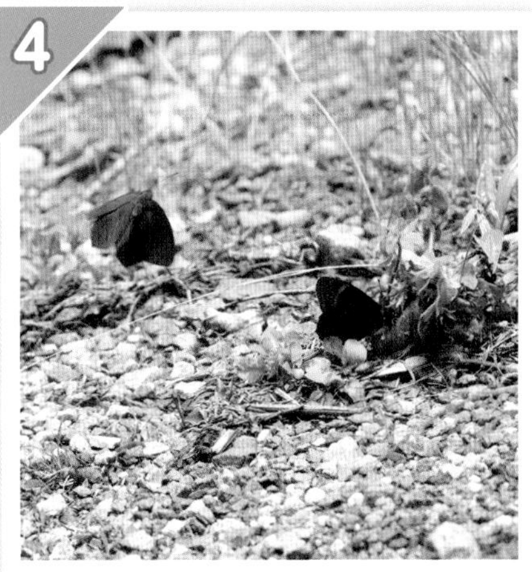

　ふんにくるのは、ハエやコウチュウだけではありません。チョウもふんのしるを吸いにやってきます。写真のチョウはクロヒカゲです。

さあ、準備しよう

服装

背負えるバッグ
手を自由にして危険にあっても対処できます。
長そでのシャツ
虫さされやとげなどから守ります。日焼けもしにくくなります。
ぼうし
日差しや枝などから、頭を守ります。
手袋
(軍手など)
切り傷や虫さされなどから身を守ります。
厚手の長ズボン
転んだときにもけがをしにくくなります。
長い靴下
短いものだと、虫に刺されることがあります。また長い靴下は、けがをふせぎます。
丈夫な靴
トレッキングシューズなど、厚手ですべりにくい靴をはきます。足を守ります。

標高の高いところに行くときは…

高山や標高の高いところ、ブナ林などでは、曇ると急に気温が下がったり、強い風がふいたりして寒くなることがあります。そのため、寒さをふせぐ服を用意する必要があります。

そのような場所に行くときは、必ずジャンパーなどの上着、セーターを用意します。ビニールのかっぱがあると、シャツの上からかっぱを着て、その上からセーターを着ると、急激な寒さから身をふせぐことができます。

虫旅で野山や川、海に出かけるのは楽しいことです。でも、普段の生活にはない危険もいっぱいあります。けがをしないように注意しましょう。まずは出かける前に、行き先や目的にあった服を着ましょう。

もっていくもの
替えの靴下
ぬれることがあるので、もっていきましょう。替えの下着ももっていきましょう。
タオル
あせをふいたり、日よけにしたりします。
真水
ペットボトルの水が便利です。飲むだけでなく、暑いときに首からかけることもできます。
ビニール袋（レジ袋）
ごみをひろってもち帰るときなどにつかいます。
チョコレート
水
食べ物
弁当は必要でなくても、お菓子やおにぎりはもっていきましょう。
雨具
雨がふったときや、急に寒くなったときに着ます。
メモ帳
自分が観察したことを書きます。絵も描いてみましょう。
ティッシュペーパー
よごれたものをふいたり、けがをしたときに血をふいたりします。
あったらいいもの
カメラ
写真を残すと、あとで役に立ちます。
スマートフォン
迷ったときなどに助けをよべます。また、自分のいる位置がわかります。
ルーペ（虫めがね）
観察するものを拡大して見ることができます。太陽を見たり、むき出しのままおいたりしてはいけません。
観察ケース
小さなはさみ
つかまえた水生昆虫を入れると、横から観察できます。
あみ
採集ができるところだったら、つかまえて観察できます。そのあとは逃がしましょう。
ペットカップ
ふたがついている「プリンカップ」というものをつかいます。つかまえた虫などを入れて観察します。
虫よけスプレー
野山も川もカなどが多いので、スプレーを首などにかけましょう。
虫よけ
上着
服がやぶれたときや寒いときに着ます。

あると便利な昆虫器具

双眼鏡

遠くの花や枝などに止まっている昆虫を、拡大して観察することができます。カメラ屋などで売っています。太陽を見たり、むき出しのままおいたりしてはいけません。

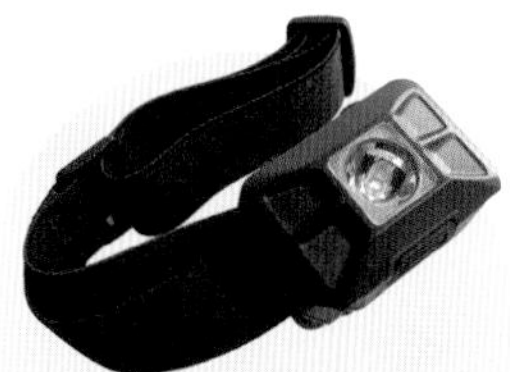

ヘッドライト

夜に昆虫を観察するときにつかいます。懐中電灯も用意するとさらにいいです。

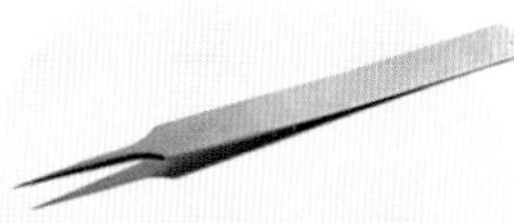

ピンセット

先がとがってギザギザのないものを用意します。昆虫をつまむときなどにつかいます。

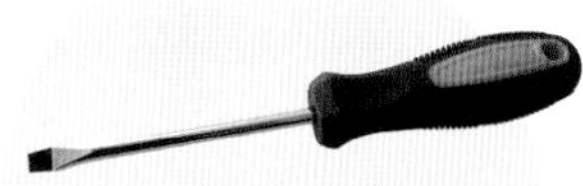

マイナスドライバー

太いものがいいです。朽ち木の皮をめくったり、石をめくったりするときにつかいます。

昆虫を観察するときにそろえたい器具を紹介します。採集が許可されている場所では捕虫網をもっていきましょう。また双眼鏡やペットカップもあったほうがいいでしょう。クワガタムシなどをとったときにもち帰ることもできます。

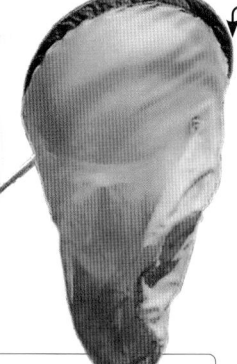

捕虫網

自分の目でよく見えない範囲にいる昆虫を観察する場合は、採集ができるところだったら、つかまえて観察しましょう。そのあとは逃がしましょう。もし、これからも採集して観察するのであれば、昆虫専門店などで専門の捕虫網を買うことをおすすめします。

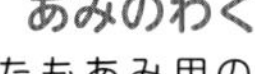

あみのわく

たもあみ用の4つ折りで、ねじ込み式の安いものを買います。42cm か 50cm がいいでしょう。昆虫専門店で売っているスプリングのわくもあります。

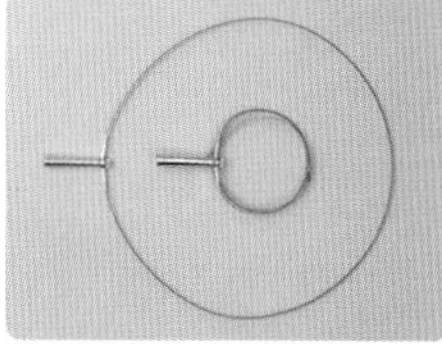

写真のように、スプリングのわくは折りたたむと小さくなります。散歩するときにもっていると便利です。

あみの柄

1.2 ～ 1.5m の釣りのたもあみ用の、わくをねじ込むものをつかいます。短い柄の方が振りやすいです。高いところの昆虫をとる場合は、伸び縮みする柄をつかいます。ただし、カーボン製はつかわないように（落雷や電線にふれたときに感電します）。

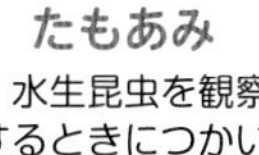

たもあみ

水生昆虫を観察するときにつかいます。釣り用品店で買います。

ネット

昆虫器具を扱っている店で、わくの大きさに合わせて買います。多くはナイロン製です。赤、青などの色がついたものもあります。

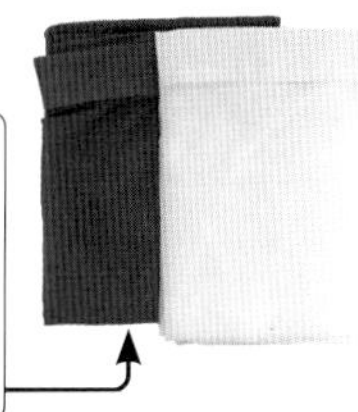

昆虫の入れ物

とった昆虫を観察するときに、この中に入れます。家にもち帰るときにも、ペットカップがつかいやすいです。チョウなどを標本にする場合には、三角紙に昆虫を包み入れます。

ペットカップ

ふたがついているものをもっていきます。つかまえた虫などを入れて観察します。

三角缶と三角紙

三角紙はパラフィン紙を折ったものです。それを三角缶に入れます。

三角紙のつかい方

三角紙は長方形のパラフィン紙を折っています。それを広げてチョウを入れ、包むようにして三角紙を折り、端も折っていきます。

やってはいけないこと

法律・条例に違反しない

国の法律や、県、市町村の条例で採集が禁止されている昆虫を採集してはいけません。それらの生息地の近くでは監視する人がいるので、近よっただけで注意されることがあります。とくに、種の保存法に指定されている種を採集した場合は、かなりきびしい罰則を課されます。

国立公園の特別保護地区は、昆虫をふくめ動植物採集禁止です。世界自然遺産のコアゾーンは国立公園の特別保護地区に指定されているため、採集禁止です。重い罰則が課されます。また、国立公園などで柵がある場合、それをこえてはいけません。それだけで処罰されます。

特別外来生物に指定されている昆虫類は、生きたまま連れて帰ることは禁止されています。カミキリムシ類やアリ類には注意しましょう。

法律、条例や特別保護地域などの詳細は、下記のホームページをご覧ください。

URL https://www.env.go.jp/nature/kisho/domestic/list.html

URL http://mushi-sha.life.coocan.jp/saishu-kinshi.html

石垣島と西表島にいるアサヒナキマダラセセリです。沖縄県指定の天然記念物で、採集禁止です。

種の保存法に指定されているオキナワマルバネクワガタです。採集できません。

国立公園の特別保護区域には、入る手前に看板があります。小さい看板の場合もあります。

最近生息地が拡大している、特定外来種のアカボシゴマダラ。生きたまま運ぶのは禁止です。

昆虫を観察するのは楽しいですが、法律などでやってはいけないことがあります。また、ほかの人の土地や地域で管理している土地（入会地）に勝手に入ると、トラブルの原因になります。さらに自分の身を守るためにやってはいけないこともあります。

🚫公園では規則を守る

昆虫採集を禁止している公園があります。看板などを見て、採集できるかどうか、確認してください。また、採集禁止でなくても、地元の人が「採集禁止」と注意してくる場合がありますが、無用なトラブルをふせぐために、その場からはなれましょう。

また、柵などがある場合は、中に入ったらいけません。危険です。

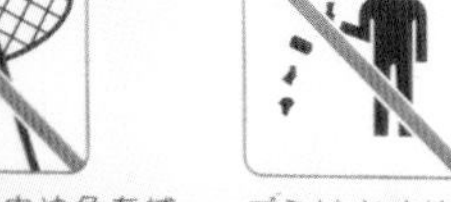

園内で昆虫や魚を捕ってはいけません。
ゴミは必ず持ち帰りください。

公園の入り口にある看板は必ず見てください。この看板では、左の真ん中に昆虫採集禁止が描かれています。

🚫人のじゃまをしない

昆虫を観察するときには、夢中になってまわりが見えなくなることがあります。まわりをよく見て動きましょう。とくに野鳥を見ている人や釣り人の前で、騒いだり、動き回ったりすると、トラブルになることがあります。

野鳥は音に敏感で、音がすると飛び立ってしまうので、野鳥を見ている人がいるときは、気をつけましょう。

🚫勝手に私有地に入らない

観察地で人に会ったら、挨拶しましょう。私有地に入る場合は、持ち主にことわってから入りましょう。林でも私有林の場合があるので、注意してください。とくに夏の終わりから秋にかけてきのこが生える山があり、そこに入るだけでトラブルになります。その場合、ロープを張っていることが多いので、その中に入ってはいけません。

畑でも昆虫を観察することができますが、必ず持ち主にことわってから入ってください。

🚫ひとりで行動しない

林の中や広い草原をひとりで行動するのは危険です。とくに夜の林や川、池のまわりなどは大人でも危険なので、子どもだけで行動させるのは絶対にやめましょう。迷ったり、けがをしたり、水に落ちたりして、とても危険です。

夕方でも、外は明るくても林の中は暗くなります。懐中電灯があっても転ぶことがあります。

危険生物に気をつけよう

昆虫を野外で観察していると、危険な生き物に出会うかもしれません。なるべく出会わないように、気をつける必要があります。とくにクマ、スズメバチ、毒ヘビは命を落とす危険性があるので、用心しなければなりません。

⚠ クマ

北海道ではヒグマ、本州ではツキノワグマの被害が出ています。山林、とくに春先の山林では非常に危険で、子連れのめすなどがおそってくることがあります。北海道と東北地方の山林に入ることはとても危険です。クマの出没情報に気をつけることと、クマよけの鈴を鳴らしながら歩くなどして、クマに出会わないようにしましょう。

⚠ スズメバチ

スズメバチは日本に数種類いますが、危ないのはオオスズメバチとキイロスズメバチです。へたに追いはらったり、巣に近よったりした場合におそわれます。刺された場合、ショックで死亡することがあります。スズメバチが多いところは巣がある可能性が高いので、はなれること。棒などで追いはらわないようにしましょう。刺されたら、迷わず、すぐに病院に行きましょう。

⚠ 毒ヘビ

日本には、おもにマムシ、ハブ、ヤマカガシがいますが、ヤマカガシはよほどのことをしないかぎり、おそってきません。マムシもハブも、ネズミが多い人里近くの草むらや、沢ぞいなどにいます。草むらや沢ぞいでは十分注意しましょう。とくにハブがいる沖縄、奄美では草むらには入らないようにしましょう。かまれたら、すぐに病院にいきましょう。

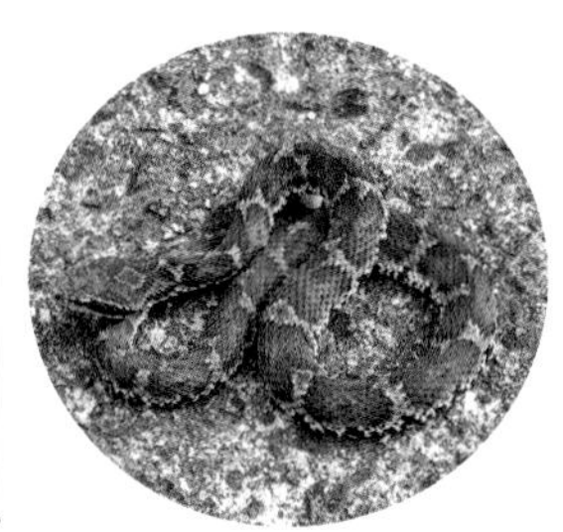

⚠ そのほかの危険な生き物

野外で危険な生き物は、そのほかにマダニなどのダニ類、アシナガバチ、ミツバチなどのハチ類、ドクガの幼虫など、多くいます。また刺して不快にするカやブユなど、毒はありませんが嫌な思いをさせる生き物もいます。林などに入る場合は、入るところをよく見て、歩く前にそのような危険な生き物がいないかどうかを確かめましょう。

「学研の図鑑 LIVE ポケット 危険・有毒生物」には、野外で出会う可能性があるいろいろな危険生物や有毒生物がのっています。出会わないようにするための方法や対処の仕方がのっています。野外にもち運べる大きさです。

学研の図鑑 LIVE ポケット 危険・有毒生物
出版社：Gakken　判型：B6 変版　4 色 208 ページ
ISBN：978-405204580-6　定価：980 円（税込 1078 円）

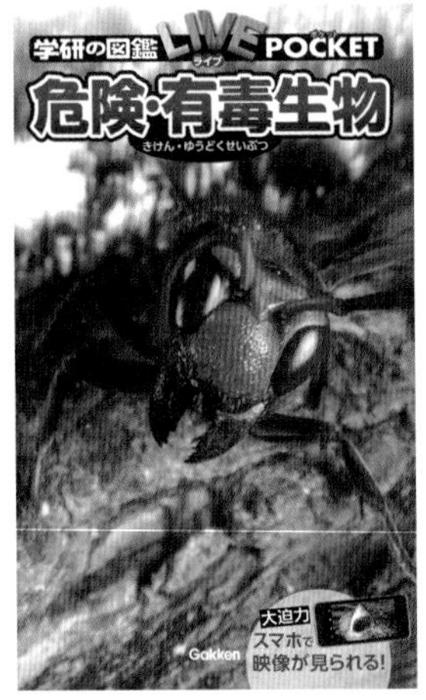

北海道

すずしい北海道

北海道は基本的にすずしいところです。太平洋岸を寒流の千島海流、日本海岸を暖流の対馬海流が流れ、また中央に大雪山などの高い山があるため、ところによって気候がかわります。太平洋岸よりも日本海側のほうがあたたかくなります。また内陸部は、冬は冷え込み、夏は暑く、寒暖の差がはげしいところです。

北海道しか見られない昆虫も

北海道の昆虫には寒さに強い、サハリン経由で入ってきたものがいます。津軽海峡をこえられなかったものは、日本では北海道でしか見られません。

リフトに乗れば、そこは高山

大雪山

難易度
★★★

●高山に一気に行ける大雪山

大雪山は、層雲峡から黒岳ロープウェイとリフトで山頂近くまで行くことができます。そこは一面高山植物で、夏になると、植物はいっせいに花をさかせます。すると、あたりは人が花を植えたようなお花畑が広がります。その花のみつを吸いにくる昆虫も、この時期に活動します。

体が丈夫な高校生以上向けです。

●時期は６月下旬～７月上旬

高山の昆虫は、おそくなると見ることができなくなるものが多くいます。８月になると、昆虫がかなり少なくなります。

層雲峡にある黒岳ロープウェイの駅。このまわりでも、いろいろな昆虫がいます。

大雪山の地図

※登山道にはロープが張られています。そのロープをこえて歩いてはいけません。高山植物を傷めることになり、厳重に罰せられます。また危険です。

(ヌタプカウシペ)
大雪山
比布岳
2197
凌雲岳
2125
黒岳沢
赤石川
黒岳
北鎮岳
2244
黒岳石室
雄滝の沢
烏帽子岳
2072
有毒温泉
北海岳
2149
赤岳
熊ヶ岳
2210
御鉢平
白雲岳
2230
小鉢平
白雲岳避難小屋
高根ヶ原
平ヶ岳
1752
大雪高原温泉

黒岳の下から高山チョウが見られる。

黒岳リフトからおりたら7合目、30分で黒岳につきます。

黒岳をこえると、お花畑が出てきます。

このあたりにウスバキチョウが見られる。

写真のような、岩がごろごろしているところがあったら、ウスバキチョウがいないか見てみましょう。

⚠大雪山に登る際の注意

大雪山系は登山難易度が高いです。地図や服装などの装備は万全を期してください。また登山情報も随時入手するようにしてください。

下記の大雪山国立公園連絡協議会のホームページを参照してください。

URL http://www.daisetsuzan.or.jp/

層雲峡までのアクセス

新千歳空港から車で3時間30分
旭川駅から車で1時間30分

大雪山にいる昆虫

大雪山には、ここでしか見られない昆虫がたくさんいます。

高山には、岩がごろごろしたところ（ガレ場）や低い木（灌木）が生えているところ、ハイマツの林、お花畑などがあります。昆虫は種類によって、すんでいるところがちがいます。見られる時期やいるところを調べてから、虫旅の計画を立てましょう。

大雪山では、採集は禁止です。

ウスバキチョウ / アゲハチョウ科

時期　6月中旬〜7月中旬

いるところ　おもにガレ場

幼虫はコマクサを食べます。成虫になるまでに足かけ3年かかります。

成虫は、地面すれすれに飛び、花によく訪れます。天然記念物です。

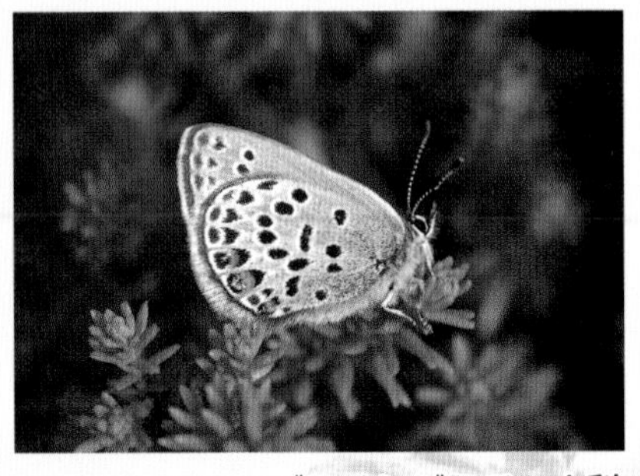

カラフトルリシジミ / シジミチョウ科

時期　7月上旬〜下旬

いるところ　低い木（灌木）が生えたところ

幼虫はガンコウランやクロマメノキを食べます。おすの表は深い藍色で、めすは黒です。北海道東部では、低いところにある湿原にもいます。天然記念物です。

ダイセツヒトリ / ヒトリガ科

時期　6月下旬〜7月

いるところ　おもにガレ場

昼間に活動しますが、あまり飛ばないことと、枯れ草などによく似ているため、見つけることがむずかしいガです。幼虫は、キバナシャクナゲ、チシマツガザクラを食べます。

ダイセツドクガ / ドクガ科

時期　6月下旬〜7月

いるところ　おもに灌木の生えたところ

昼間に活動しますが、岩などに止まっていると、灰色の体色のせいで目立ちません。幼虫は、エゾツツジ、キバナシャクナゲなどを食べます。

アサヒヒョウモン / タテハチョウ科

時期 6月下旬～7月

いるところ 低い木が生えているところ

ハイマツが生えているところで見られます。日が出ると飛びますが、かげると飛びません。幼虫は、ガンコウラン、キバナシャクナゲなどを食べます。**天然記念物**です。

ダイセツタカネヒカゲ / タテハチョウ科

時期 7月

いるところ 岩がごろごろしているところ

ハイマツが生えているところで見られ、はねのうらの模様のせいで、止まるとどこにいるのかわからなくなります。幼虫は、ダイセツイワスゲなどを食べます。**天然記念物**です。

クモマベニヒカゲ / タテハチョウ科

時期 7月中旬～8月

いるところ 高標高地の草原（お花畑）

お花畑で、花のみつを吸っているところがよく見られます。高山帯だけでなく、その下の亜高山帯でも見られます。クモマベニヒカゲは、上士幌町の三国峠でも見られます。

ダイセツタカネフキバッタ / バッタ科

時期 8～10月

いるところ おもに灌木の生えたところ

はねが生えていません。山地などにすむサッポロフキバッタとよく似ています。お花畑で草などを食べる姿を観察することができます。

ダイセツオサムシ / オサムシ科

時期 6月下旬～7月

いるところ お花畑など

お花畑や岩が岩がごろごろしたところにいて、ミミズやガの幼虫などを食べます。後ろばねがなくなっているので、飛ぶことはできません。昼間は岩の下などにかくれていて、夜にえものをさがします。

大雪山で見られる植物

高山には、そこでしか見られない植物が生えています。昆虫だけでなく、さいている花や生えている木など、いろいろな植物を観察しましょう。観察しているときに、昆虫が見つかるかもしれません。花をつんだり、ひろったりしてはいけません。

イワウメ

ミネズオウ

メアカンキンバイ

キバナシャクナゲ

コマクサ

エゾノツガザクラ

大雪山のふもとで見られる昆虫

大雪山のふもとの層雲峡でもいろいろな昆虫が見られます。山をおりてきたら、近くの草地や林などで昆虫をさがしましょう。

カラフトタカネキマダラセセリ

シロオビヒメヒカゲ

オオイチモンジ

オオルリオサムシ

ミヤマクワガタ

ヤツメカミキリ

ここに泊まろう！

ペンション山の上

ペンション山の上は層雲峡にあります。層雲峡の観光や大雪山の登山の拠点になります。このペンションに泊まると、昆虫観察にいいところを教えてくれます。

URL https://pen-yamanoue.com/
住 〒078-1701　北海道上川郡上川町字層雲峡
TEL 01658-5-3206
昆虫体験ツアーは、080-3236-2325へ

行ってみよう！

ひがし大雪自然館

ひがし大雪自然館は、大雪山国立公園の東大雪地域を中心とした自然や歴史を展示しています。世界の昆虫も見られます。

URL https://www.ht-shizenkan.com/
住 〒080-1403
北海道河東郡上士幌町ぬかびら源泉郷 48-2
TEL 01564-4-2323　料 無料　開 9:00～17:00
休 水曜日、年末年始

上士幌町観光協会提供

大都市から近い、昆虫の楽園

札幌市周辺

円山公園から見た札幌の市街（上）と円山公園の雑木林。

●郊外に自然が残る札幌市

札幌市の西には高い山が広がっていて、いろいろな雑木林がある自然が残っています。市街の中から近く、手軽に昆虫を楽しむことができます。

本州の平地にいる昆虫も見られますが、八剣山などでは、オオイチモンジやベニヒカゲなど、本州では高いところにしかいないチョウや、オオルリオサムシなどのオサムシ、多くのカミキリムシが見られます。

●時期は６～８月

札幌市周辺では春からも昆虫を楽しめますが、種類が多くなるのは６月を過ぎてからです。９月に入ると少なくなります。

●郊外の公園の中でも昆虫観察ができる

札幌市周辺では、山奥でなくても、円山公園などで昆虫観察ができます。

本州では山地にいる昆虫が、札幌市周辺では低地の公園でも見ることができます。また北海道にしかいないエゾシロチョウなどの固有の昆虫を見ることができます。

札幌市周辺の地図

小樽市手宮

カシワが生えています。ミドリシジミ類が多くいます。
・札幌駅から車で 45 分

銭函（ぜにばこ）海岸

海岸ぞいにカシワが生えています。ミドリシジミ類が多くいます。
・札幌駅から車で 45 分

円山公園

雑木林の中に、オオムラサキやミドリシジミ類などがいます。採集禁止です。
・札幌駅から車で 20 分

平和の滝

雑木林にミヤマカラスアゲハ、ベニヒカゲなどが見られます。
・札幌駅から車で 35 分

藻岩（もいわ）山

林のヘリでシロチョウ類やオサムシなどが見られます。
・札幌駅から車で 35 分

八剣山

よく自然が残っていて、いろいろなチョウ、クワガタムシ類、オサムシ類が見られます。
・札幌駅から車で 45 分

八剣山の昆虫

札幌市の南西には、岩が出ている八剣山があります。ここは雑木林の昆虫だけでなく、岩場にいる昆虫を見ることができます。

オオムラサキ／タテハチョウ科

時期　7～8月

いるところ　雑木林

オオルリオサムシ／オサムシ科

時期　5～9月

いるところ　林など

ジョウザンシジミ／シジミチョウ科

時期　5～7月

いるところ　八剣山では岩場

ミヤマクワガタ／クワガタムシ科

時期　7～8月

いるところ　雑木林

トホシハナカミキリ／カミキリムシ科

時期　5～6月

いるところ　マツ林など

ベニヒカゲ／タテハチョウ科

時期　8月

いるところ　草地

銭函海岸の昆虫

銭函海岸にはカシワ林が広がり、また湿地や池などがあります。カシワを食べるミドリシジミ類やトンボ、水生昆虫などが多くすんでいます。

クロイトトンボ / イトトンボ科

時期 5～11月
いるところ 池

ウラジロミドリシジミ / シジミチョウ科

時期 7～9月
いるところ 林など

マルガタゲンゴロウ / ゲンゴロウ科

時期 7～10月
いるところ 池

円山公園の昆虫

円山公園は、札幌の市街地の近くにあります。ナラ林などがあり、クワガタムシやチョウが見られます。採集は禁止されています。

メスアカミドリシジミ / シジミチョウ科

時期 7月
いるところ 林

エゾシロチョウ / シロチョウ科

時期 6～7月
いるところ 公園の中

COLUMN

ミドリシジミ類のさがし方

ミドリシジミ類は、草の花にくることはほとんどありません。木の枝の先や林のへりの草むら、クリの花などで見つかります。ミドリシジミが出てきやすい場所などがあるので、下のイラストを参考に、さがしてみましょう。

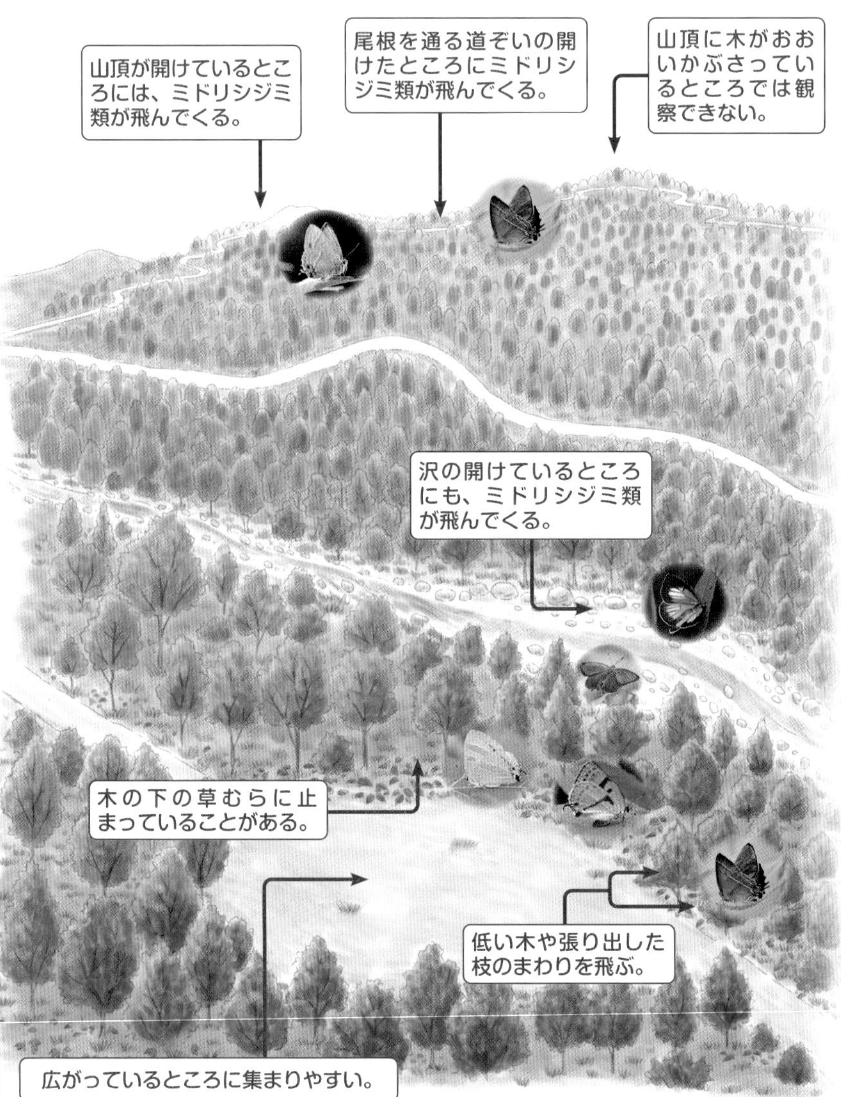

山頂が開けているところには、ミドリシジミ類が飛んでくる。
尾根を通る道ぞいの開けたところにミドリシジミ類が飛んでくる。
山頂に木がおおいかぶさっているところでは観察できない。
沢の開けているところにも、ミドリシジミ類が飛んでくる。
木の下の草むらに止まっていることがある。
低い木や張り出した枝のまわりを飛ぶ。
広がっているところに集まりやすい。

いろいろなミドリシジミ類

ミドリシジミ類は、日本に 25 種すんでいます。グループによってはよく似た種が多いので、種の見分け方は図鑑などで調べましょう。

ウラゴマダラシジミ
時期 5～7月
分布 日本全土

アカシジミ
時期 5月下旬～7月
分布 日本全土
似た種にカシワアカシジミなどがいる

ミズイロオナガシジミ
時期 6～7月
分布 日本全土

ウスイロオナガシジミ
時期 6～7月
分布 北海道、本州

ウラミスジシジミ
時期 6～7月
分布 日本全土

ウラジロミドリシジミ
時期 6～7月
分布 日本全土

エゾミドリシジミ
時期 6～7月
分布 日本全土
似た種が数種いる

ミドリシジミ
時期 6～7月
分布 日本全土

メスアカミドリシジミ
時期 6～7月
分布 日本全土
似た種が 2 種いる

※ミドリシジミ類には似た種が多いので、標本を掲載している図鑑で見ることをおすすめします。

北海道のそのほかの観察地

北海道は自然が残っており、昆虫が多くいます。広葉樹の林を通る林道や、草原などで楽しい昆虫観察ができます。しかし､ヒグマが多く､原野の林の中に入るのは危険です。市街地付近の林や草原でも多くの昆虫を見ることができますので、原野の林の中には入らないようにしましょう。クマよけは絶対に必要です。

利尻島

難易度 ★★★

昆虫 ヒメウスバシロチョウ、ベニヒカゲなど
時期 7～8月

北海道北部の沖合にある島です。この島ならではの変わった昆虫は、登山しないと観察できません。低地でも昆虫が多いので、景色を楽しんで観察しましょう。高標高地では**採集禁止**です。

- **札幌（丘珠）から飛行機で1時間**

旭川周辺

難易度 ★☆☆

昆虫 カバイロシジミ、ウラジャノメ、ミドリシジミ類、クワガタムシなど　**時期** 7月

一番昆虫を観察しやすいのが、旭川市旭山公園です。チョウやクワガタムシなどを観察できますが､**採集は禁止**です。春は神居古潭（かむいこたん）でヒメギフチョウが見られます。

- **旭川駅からバスで30分**

丸瀬布

難易度 ★☆☆

昆虫 オオイチモンジ、タテハチョウ類、カミキリムシなど
時期 7月

丸瀬布町には広大な森林が広がり、各種のチョウやカミキリムシなどが多くいます。林道に入ると、オオイチモンジなどが見られます。

- **札幌駅から車で3時間40分**

十勝三股

難易度 ★☆☆

昆虫 シロオビヒメヒカゲ、カラフトタカネキマダラセセリ、カミキリムシなど

時期 7月

十勝平野は昆虫が多いところですが、とくに十勝三股などは気軽にチョウなどを観察できます。花を見つけて、そこで昆虫をさがしましょう。

・帯広駅から車で1時間30分

門別

難易度 ★☆☆

昆虫 ミドリシジミ類、オオヒカゲなどのジャノメチョウ類など

時期 7～8月

牧場の間にあるカシワ林で、ミドリシジミ類やオオヒカゲなどが見られます。また、牧場のウマやウシのふんでコウチュウが観察できます。

・千歳空港から車で1時間

大沼公園

難易度 ★☆☆

昆虫 ゴマシジミ、ミドリシジミ類、クワガタムシなど

時期 7～8月

大沼公園のまわりには豊かな自然が残っており、ゴマシジミやミドリシジミ類、トンボが観察できます。またミヤマクワガタなども観察できます。

・函館駅から車で45分

知床周辺

難易度 ★★☆

昆虫 ミドリシジミ類、ヒョウモンチョウ類、クワガタムシなど **時期** 7～8月

小清水原生花園などのお花畑に行くと、チョウを観察することができます。また風連湖の周辺の林ではクワガタムシの観察ができます。**採集はやめましょう。**

・中標津(なかしべつ)空港から車で1時間

北海道の昆虫が見られる施設

北海道でも、標本を展示する施設だけではなく、生きた昆虫を展示する施設があります。また標本や生きた虫を展示する施設ではなく、自然観察を楽しむ施設があります。昆虫観察や旅行のついでによってみましょう。

昆虫館パピヨンシャトー

大雪山のふもとの当麻町にある昆虫館です。見て、触れて、体験する昆虫ランドをモットーに、日本と世界各地に生息するチョウを中心とした標本展示室、昆虫の生きた姿を間近で見ることができる生態観察室があります。

URL http://town.tohma.hokkaido.jp/about-tohma/sisetuannnai/bunka-shisetu/288/

住 〒078-1314　上川郡当麻町市街6区　TEL 0166-84-2001　料 高校生以上600円　小中学生400円

開 9:00～17:00　休 10月下旬～4月下旬

丸瀬布昆虫生態館

一年中たくさんの生き物たちに出会えます。チョウの広場、世界の昆虫たち、遠軽(えんがる)町の生きもの（サンショウウオや魚などもふくむ）の3つのエリアに分かれています。エントランスルームには標本や哀川翔さんの展示スペース「アニキの森」があります。

URL https://engaru.jp/tourism/page.php?id=414

住 〒099-0213　紋別郡遠軽町丸瀬布上武利68番地　TEL 0158-47-3927

料 大人420円　高校生以下160円　幼児無料　開 9:00-17:00（冬季は短縮）　休 火曜日

栗山自然情報館「オオムラサキ館」

常設展示として、30種以上の水生生物や昆虫の飼育展示を行っています。オオムラサキが観察できる飼育舎があります。身近に生息する生きもののくらしを、目の前で観察することができます。

URL https://www.town.kuriyama.hokkaido.jp/site/shizen/752.html

住 〒069-1501　夕張郡栗山町桜丘2丁目38番地5

TEL 0123-72-3000　料 無料　休 火曜日、祝日の翌日、年末年始　開 10:00-17:00

東北地方

雪の多い日本海側、少ない太平洋側

東北地方の日本海側は、沖合いに暖流の対馬海流が流れており、あたたかい気候です。この海流のため冬には雪が多く降り積もります。この積雪のため日本海側にはブナ林が広がっています。一方太平洋側は沖合いに冷たい日本海流が流れており、夏はすずしく、冷害がおこる年もあります。しかし、日本海からくる雪雲が山地にさまたげられて、雪はあまりふりません。

自然が豊かな東北地方

東北地方は森林が広がっており、また草原もまだ残っています。豊かな自然が残っていて、そのため昆虫がたくさんいるところです。

気持ちいい高原で、ヒメギフチョウが観察できる

安比高原

難易度 ★★☆

安比高原は、岩手県盛岡市の西北にある高原で、ブナ林が広がっています。春には林道ぞいでヒメギフチョウが見られます。また、夏にはクワガタムシ、カブトムシ、高原のガやチョウなどが見られます。夏休みを昆虫とともに楽しく過ごせるところです。

ヒメギフチョウ／アゲハチョウ科

時期　5月　いるところ　ブナ林など

雪の状態により、年により出てくる時期がちがってきます。地面近くを飛び、タンポポなどの花にきます。

●時期は5月と7～8月

山に深く入らなくても、林道ぞいや登山道付近で昆虫を楽しめます。

安比高原の地図

安比高原駅

林道ぞいにヒメギフチョウが見られる。

登山道ぞいでクワガタムシなどが見られる。車道ではヒメギフチョウが観察できる。

安比高原までの時間

盛岡駅から車で1時間
盛岡駅からJRで1時間20分

安代りんどう

八幡平市は「安代りんどう」が有名です。もともと山野に自生する花でしたが、岩手県内で徐々に栽培が始まり、1971年に安代町（現・八幡平市）を中心に、組織的な栽培が開始されました。栽培面積・生産量・販売額ともに日本一です。

また八幡平では、安比高原牧場のアイスクリームや道の駅にしねレストランのほうれん草をつかったカレーも有名です。

COLUMN

ヒメギフチョウをさがそう

ヒメギフチョウは、ブナなどの林にいるチョウです。安比高原では、林道の日が当たるところや、カラマツ林とブナ林の境目の林道などでよく見られます。クマがいるので、林の中には入らないようにしましょう。

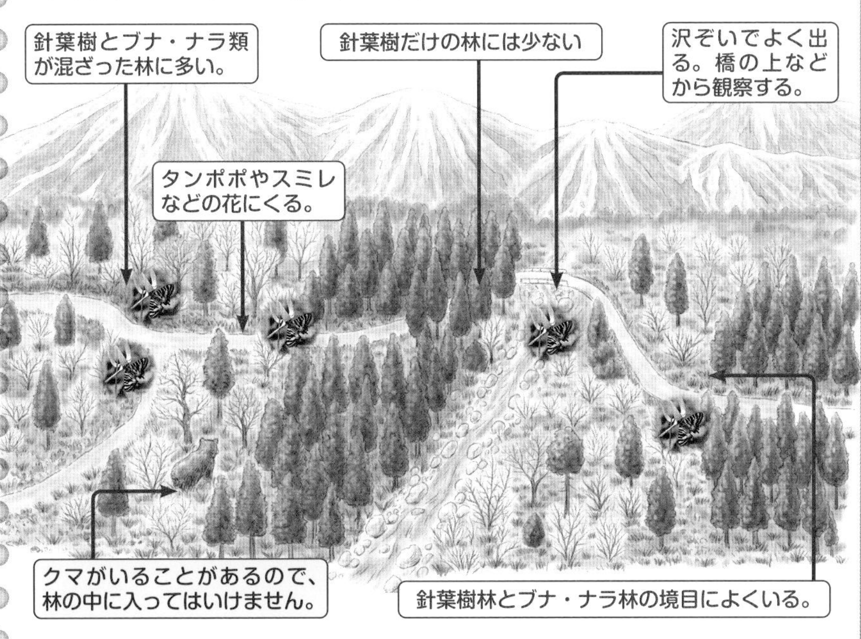

針葉樹とブナ・ナラ類が混ざった林に多い。
針葉樹だけの林には少ない
沢ぞいでよく出る。橋の上などから観察する。
タンポポやスミレなどの花にくる。
クマがいることがあるので、林の中に入ってはいけません。
針葉樹林とブナ・ナラ林の境目によくいる。

いろいろな昆虫が見られるよ

ヒメギフチョウだけでなく、春の林では、いろいろなチョウやガが見られます。なかには、春だけしか見られないカバシャクなどのガもいます。

ミヤマカラスアゲハ
雑木林の縁などで見られます。林道にもよく出てきます。花によくきます。

カバシャク
雑木林のひだまりや、林道によく出てきます。チョウのように見えるガです。

ブナアオシャチホコ
5～7月に発生します。ときに大発生することがあり、ブナ林に被害が出ます。

夏の雑木林にいる昆虫

安比高原のブナ林には、ブナとともにコナラやミズナラなどが生えています。それらの木で樹液を見つけたら、ミヤマクワガタやカブトムシなどが観察できます。また、オオムラサキやカミキリムシも樹液が流れている木で見ることができます。

林の中の木が生えていない空間ではミドリシジミのなかま、白い花に集まるカミキリムシのなかまも見ることができます。

フジミドリシジミ / シジミチョウ科

時期 7～8月

いるところ ブナ林、早朝に下草に止まっています。

カブトムシ / コガネムシ科

時期 7～8月

いるところ 樹液

ミヤマクワガタ / クワガタムシ科

時期 7～8月

いるところ 樹液など

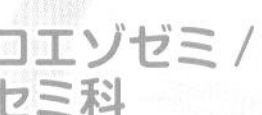

コエゾゼミ / セミ科

時期 7～8月

いるところ 林、「ジー」と鳴きます。

マイマイカブリ / オサムシ科

時期 7月～

いるところ 林の中の地面など

オオムラサキ / タテハチョウ科

時期 7～8月

いるところ 林

夏の草原にいる昆虫

安比高原には、草原が広がっています。そこでは、草原でしか見られないチョウや、アキアカネなどのトンボ、ハムシのなかまなど、いろいろな昆虫を見ることができます。花を見て回るだけで、いろいろな昆虫を観察することができます。

アキアカネ / トンボ科

時期　4～12月

いるところ　草原など、夏は高原に集まります。

ヒメシジミ / シジミチョウ科

時期　6～8月

いるところ　草原、花によくきます。

ウラギンヒョウモン / タテハチョウ科

時期　7～8月

いるところ　草原、アザミの花によくきます。

クジャクチョウ / タテハチョウ科

時期　6～9月

いるところ　草原など、花によくきます。

古い農村の風景の中で、昆虫が楽しめる！

宮古市区界～川井

難易度
★★☆

宮古市区界～川井には、牧草地や雑木林、クワ畑などが残っていて、古くからの日本の農村の風景を見ることができます。そこでは、自然と調和しながら生きていた農家の人たちが残した環境の中に、多くの昆虫たちを見ることができます。

●時期は７～８月

夏の草原や雑木林の昆虫がねらい目です。そのほか、川にすむトンボや水生昆虫も観察できます。

宮古市区界～川井の地図

宮古市区界までの時間

盛岡駅から車で 40 分
盛岡駅から松草駅 JR で 50 分

宮古市区界～川井のいいところ

宮古市区界～川井は、高い山と谷、湿地、川ぞいの平地があり、いろいろな地形があります。そして、その地形を生かした、昔ながらの田や畑、クワ畑、人が手入れしている雑木林、放牧地、草地と自然林などがあり、それぞれの環境にあった昆虫が多くすんでいます。日本の里山の風景を見ながら、昆虫を楽しみましょう。

峠付近の林で、キベリタテハなどが見られる。
宮古市
川ぞいのヤナギ類でクワガタムシ類などが見られる。
川内駅
箱石駅
陸中川井駅
宮古→

区界～川井の夏の草地と雑木林

宮古市区界～川井は、田や畑、クワ畑、人が手入れしている雑木林、放牧地、草地と自然林などがあり、それぞれの環境にあった昆虫が多くすんでいます。車でまわりながら、環境の変化を楽しみ、そこでいろいろな昆虫を見つけましょう。

カラスアゲハ / アゲハチョウ科

時期　5～9月
いるところ　林の縁など

クジャクチョウ / タテハチョウ科

時期　6～9月
いるところ　草原など

ミドリヒョウモン / タテハチョウ科

時期　7～8月
いるところ　草原など

センチコガネ / センチコガネ科

時期　一年中
いるところ　牧場

峠の道路わきのコンクリートも見よう

道路のコンクリートの壁から、水がしみ出ているところがあります。そのような場所で、チョウなどが水を吸うためにくることがあります。注意してみましょう。

このようなコンクリートの壁を見てみると…

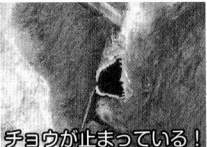

チョウが止まっている！

キベリタテハ / タテハチョウ科

時期　7～8月
いるところ　林の縁

集団ができている！

ミヤマカラスアゲハ / アゲハチョウ科

時期　5～9月
いるところ　林の縁など

ミヤマクワガタ／クワガタムシ科

時期　7〜8月

いるところ　樹液など

トラフカミキリ／カミキリムシ科

時期　7〜8月

いるところ　クワ畑など

ルリボシカミキリ／カミキリムシ科

時期　7〜8月

いるところ　林の中

ウラミスジシジミ／シジミチョウ科

時期　7〜8月

いるところ　林など

参加してみよう！

盛岡市動物公園 ZOOMO 昆虫採集クラブ

ZOOMO

盛岡市動物公園ZOOMOには会員制の昆虫採集クラブがあります。年8回ほど例会を開き、昆虫採集や観察、標本作成を行っています。年度途中の入会はできず、欠員があれば年度末に翌年度の新規会員を募集します。くわしくは動物公園にお問い合わせください。

住〒020-0803　岩手県盛岡市新庄字下八木田60-18　TEL 019-654-8266　休水曜日（4〜10月は水曜日・11〜3月は水・木曜日です）

気持ちいい風景の中で、いろいろな昆虫が楽しめる

奥州湖周辺

難易度
★☆☆

奥州湖は、ブナ林が広がる奥羽山脈の山にあります。ブナ林にすむクワガタムシなどが見られます。また、谷ぞいや湖の回りではトンボなども見られます。

●時期は７～８月

昆虫が多いのは夏です。

奥州湖周辺の地図

秋田県→

柴沢山 ・1241

獅子ヶ鼻岳 ・1293

岳山 ・970

笹森山 ・1085

奥州市

ヤナギやハルニレなどにクワガタムシがくる。

397

小胡桃山 ・783

大胡桃山 ・934

一関市との境まで、道ぞいに昆虫が出てくる。

奥州湖までの時間

仙台駅から車で１時間 50 分
盛岡駅から車で１時間 20 分

雑木林でさがそう

奥州湖から栗駒焼石ほっとラインを一関市にむかう途中、また途中から分かれる林道などには、広葉樹林が広がっています。そこではミドリシジミ類やジャノメチョウ類が見られます。また、コウチュウも多く見られます。

ジョウザンミドリシジミ／シジミチョウ科

時期 7～8月　いるところ 林

ヤマキマダラヒカゲ／タテハチョウ科

時期 6～7月

いるところ 林など

鍋割山
•672
奥州市→
胆沢ダム
州湖
嵎山
△684

見られる昆虫

ミヤマクワガタ／クワガタムシ科

時期 7～8月

いるところ 樹液など

ノコギリクワガタ／クワガタムシ科

時期 7～8月

いるところ 樹液など

コクワガタ／クワガタムシ科

時期 6～10月

いるところ 樹液など

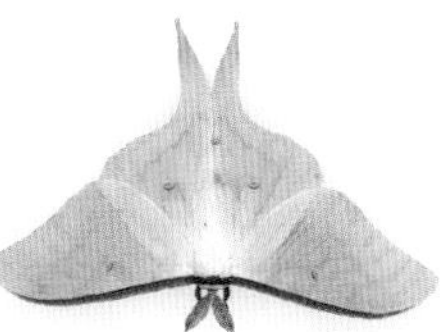

オオミズアオ／ヤママユガ科

時期 5～8月

いるところ 林など

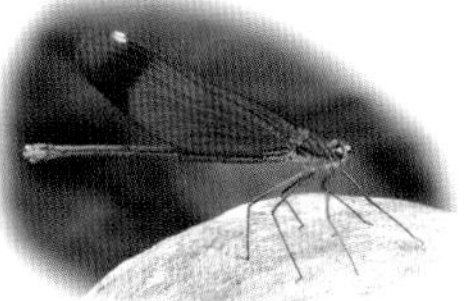

ミヤマカワトンボ／カワトンボ科

時期 5～9月

いるところ 川ぞい

クジャクチョウ／タテハチョウ科

時期 6～9月

いるところ 草地など

カブトムシ・クワガタムシのさがし方

カブトムシ・クワガタムシは樹液にやってきますので、さがすときはまず樹液が出る木をさがしましょう。昼に樹液を見つけておいて、夜にその木に観察しに行きましょう。また、ヤナギやニレ、トネリコの枝でもいることがあり、果樹園の落ちた果物でも見つかります。

樹液

クヌギやコナラ、ニレ類、トネリコ類、タブノキなどの木から樹液が出ます。樹液のさがし方は右ページの通りです。東北地方などの寒い地域では、昼間でもカブトムシ・クワガタムシが樹液にきます。

ヤナギの木

雑木林などに近いところに生えているヤナギの、親指くらいの太さの枝や、枝がふたまたに分かれているところを見てみましょう。クワガタムシがいることがあります。

水銀灯の街灯やナイター施設

カブトムシ・クワガタムシは夜に活動します。水銀灯の街灯やナイター施設のあかりに飛んできます。蛍光灯にも飛んできます。ただし、今の街灯はLEDのものが多く、それには飛んできません。

果樹園の落ちた果物

カブトムシ・クワガタムシは甘いものが好きです。明け方に果樹園に行くと、落ちた果物にカブトムシ・クワガタムシがいることがあります。果樹園の持ち主にことわってから入りましょう。

樹液のさがし方

樹液の出る木をさがすのは、夜にさがすと穴に落ちたり木につまずいたりして危ないので、昼にさがします。樹液が出る木のまわりには、樹液に集まるチョウやカナブン、スズメバチが飛んでいます。それらの昆虫を目安に樹液があるところを見つけます。そして夜に行って観察します。

1. どっちをえらぶ？

クワガタムシやカブトムシは、雑木林やブナ林などにいます。下のどちらの林に入る？

❶が正解！ ❷の林はスギ林で、きれいに生えそろっています。❶の林は雑木林で、林の上がもこもこして、木がきれいに生えそろっていません。

2. 虫を見つけよう！

樹液にはクワガタやカブトだけではなく、ほかの昆虫もやってきます。その昆虫をみつけよう。

サトキマダラヒカゲや、タテハチョウのなかまが樹液のまわりを飛んでいます。
サトキマダラヒカゲ／タテハチョウ科

カナブンやアオカナブンなどが樹液のにおいにひかれて、樹液のまわりを飛んでいます。
カナブン／コガネムシ科

スズメバチ類も樹液にやってきます。刺されないように、注意して、見てみましょう。
コガタスズメバチ／スズメバチ科

3. 樹液をさがそう！

飛んでいる昆虫が多い木を見ると、樹液が見つかります。

チョウやカナブン、スズメバチが止まる木を見ると、樹液が見つかります。昼間に樹液を見つけて、夜に行きましょう。

夜に樹液に行くと、カブトムシやクワガタムシがきています。ほかには、カミキリムシやガのなかまもきています。

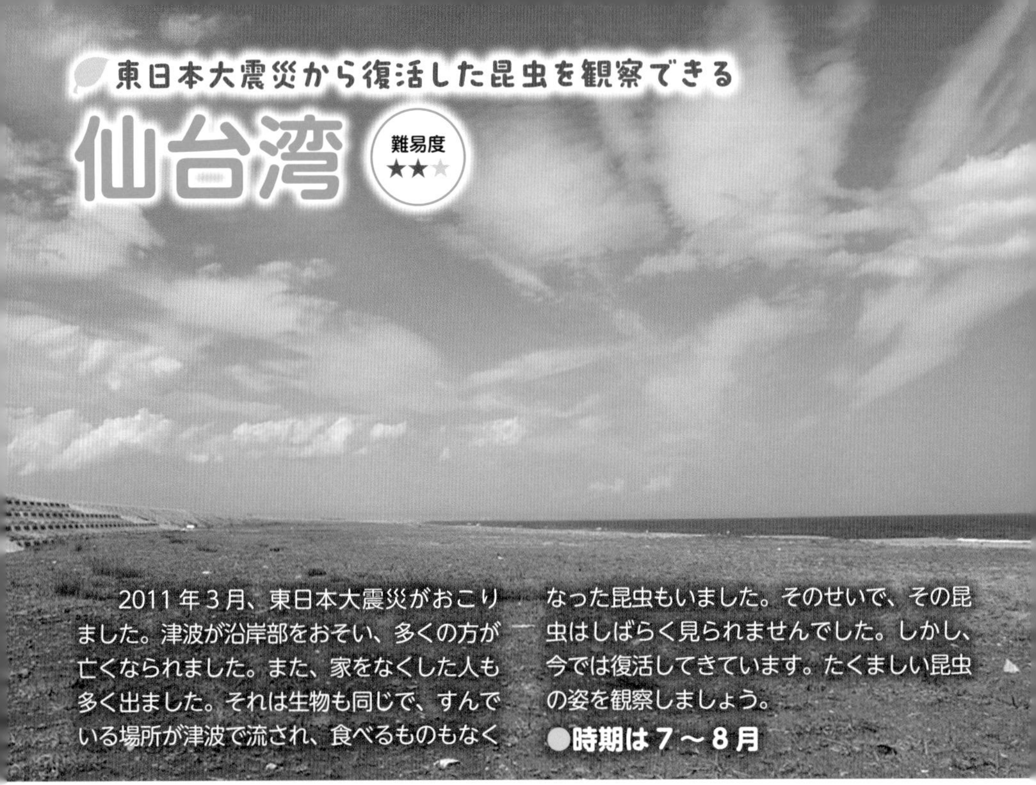

東日本大震災から復活した昆虫を観察できる

仙台湾

難易度 ★★☆

2011年3月、東日本大震災がおこりました。津波が沿岸部をおそい、多くの方が亡くなられました。また、家をなくした人も多く出ました。それは生物も同じで、すんでいる場所が津波で流され、食べるものもなくなった昆虫もいました。そのせいで、その昆虫はしばらく見られませんでした。しかし、今では復活してきています。たくましい昆虫の姿を観察しましょう。

●時期は7～8月

津波のあとの仙台湾

海岸にもすんでいる昆虫がいます。仙台湾はハンミョウ類がすんでいることで有名でした。ところが津波により、表面は流され、海岸に土砂が積もり、昆虫がすめない環境になりました。昆虫の復活は無理と考えた研究者もいたほどです。

荒浜
閖上
仙台空港
鳥の海

仙台湾の地図

仙台湾の昆虫観察の場所は、左のピンクの範囲です。そこには砂浜が広がっていますが、そこは津波がおそってきた場所です。

仙台市若林区荒浜

深沼海水浴場付近です。海水浴場の両側の、砂浜のやや上の草地でさがします。

荒浜までの時間
仙台駅から地下鉄、バスで 40 分

名取市閖上（ゆりあげ）

名取川の河口に砂浜が広がっています。アカガイの有名な産地で、アカガイも復活しました。

閖上までの時間
仙台駅から JR、バスで 40 分

亘理（わたり）町鳥の海

阿武隈川の河口付近に、鳥の海があります。淡水と海水が混ざった水の湖で、広い砂浜があります。

鳥の海までの時間
仙台駅から車で 40 分

仙台湾で見られる昆虫

ほとんどの昆虫は、すんでいる場所からはなれません。津波のあとに見られる昆虫は、津波の中で生きのびていました。その生命力豊かな昆虫を観察しましょう。

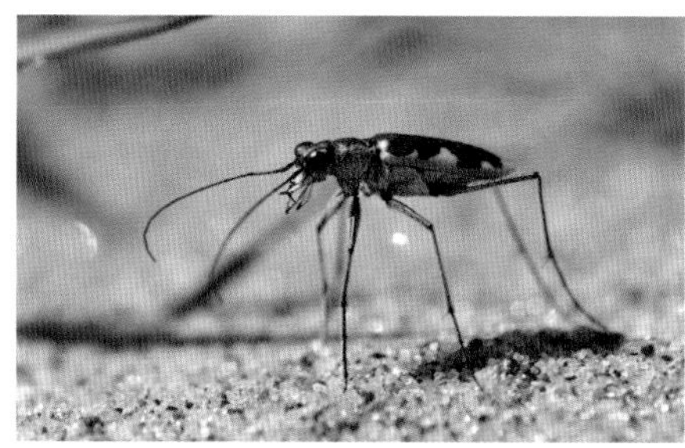

カワラハンミョウ／ハンミョウ科

時期 7～8月　**いるところ** 砂浜

3月の東日本大震災では、幼虫が砂浜にもぐって越冬していたので、生きのびたと考えられます。

ヤマトマダラバッタ／バッタ科

時期 7～9月　**いるところ** 林など

卵で越冬します。震災時には、砂浜の中で卵で越冬したので、生きのびたと考えられます。

大観光地の帰りに昆虫観察を満喫！

蔵王周辺

難易度 ★★☆

蔵王周辺は観光地として有名ですが、昆虫観察にも最適な場所です。春からヒメギフチョウなどが観察でき、夏は温泉街やスキー場付近でミドリシジミ類などが観察できます。

●時期は４月中旬と７～８月

蔵王までの時間
仙台駅から車で１時間

蔵王周辺の夏の昆虫

夏の蔵王周辺は、ミヤマクワガタなどのクワガタムシ類が見られるほか、ミドリシジミ類などのチョウや、オトシブミ類などの林にすむコウチュウも見られます。とくにスキー場などの草地では、草原性の昆虫だけでなく、まわりの林で昆虫を観察できます。

アイノミドリシジミ／シジミチョウ科
時期　７月
いるところ　林

オオセンチコガネ／センチコガネ科
時期　夏
いるところ　林など
動物のふんにいます。

ゴマダラオトシブミ／オトシブミ科
時期　５～８月
いるところ　林など
クリ、クヌギなどの葉にいます。

蔵王周辺の地図

蔵王周辺は昆虫が多いところですが、とくに赤いあみをひいたところでは昆虫観察にむいています。春に行く場合は、４月中旬がいいです。

青根温泉
峩々（がが）温泉
不動滝
遠刈田（とおがった）温泉
七ヶ宿線周辺
後烏帽子岳
1681
屏風岳
1825
七日原
457
三住
不忘山
二ッ森山
716
不忘
福岡八宮
松川

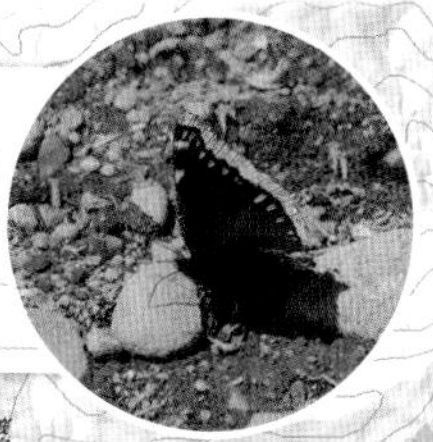

キベリタテハ／タテハチョウ科

時期　８〜９月
いるところ　林など

春にヒメギフチョウなどが見られる。

道ぞいでミドリシジミ類が見られる。

すみかわスキーパークの中で、草原性のチョウやまわりの林でミドリシジミ類、コウチュウが見られる。

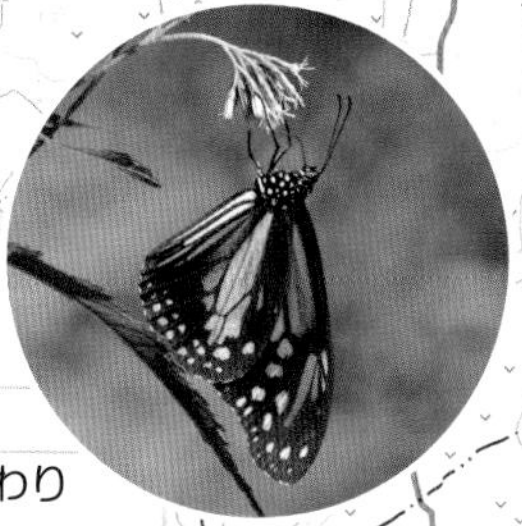

アサギマダラ／タテハチョウ科

時期　６〜８月
いるところ　林のまわり
旅をするチョウです。夏の間、蔵王ですごします。

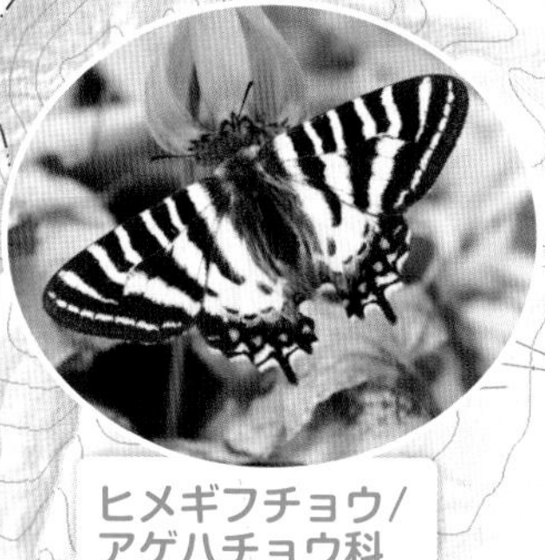

ヒメギフチョウ／アゲハチョウ科

時期　４月
いるところ　林など

春にヒメギフチョウなどが見られる。

すずしい高い山の谷あいで、気持ちいい昆虫観察

桧枝岐村

難易度 ★★☆

桧枝岐村(ひのえまたむら)は、福島県の南西部にある山間部の村です。村全体が標高が高いところにあり、南西には、有名な尾瀬沼があります。標高が高いところではブナ林があり、集落近くには雑木林があって、いろいろな昆虫が見られるところです。

時期は７～９月

９月にもクワガタムシが観察できます。

桧枝岐村までの時間

東京駅から車で３時間 50 分
宇都宮駅から車で２時間 40 分
郡山駅から車で２時間 50 分

公共機関の場合

東京・浅草－（東武）→
会津高原尾瀬口－（バス）→
桧枝岐役場前　約４時間 40 分

桧枝岐村から尾瀬に行くことができます。尾瀬は昆虫観察にはむきませんが、景色を楽しむことができます。

桧枝岐村の地図

桧枝岐村の低いところには雑木林、高いところにはブナ林があります。どちらの昆虫も観察することができます。ブナ林にいるクワガタムシは、8月の終わりごろから9月によく見られるようになります。

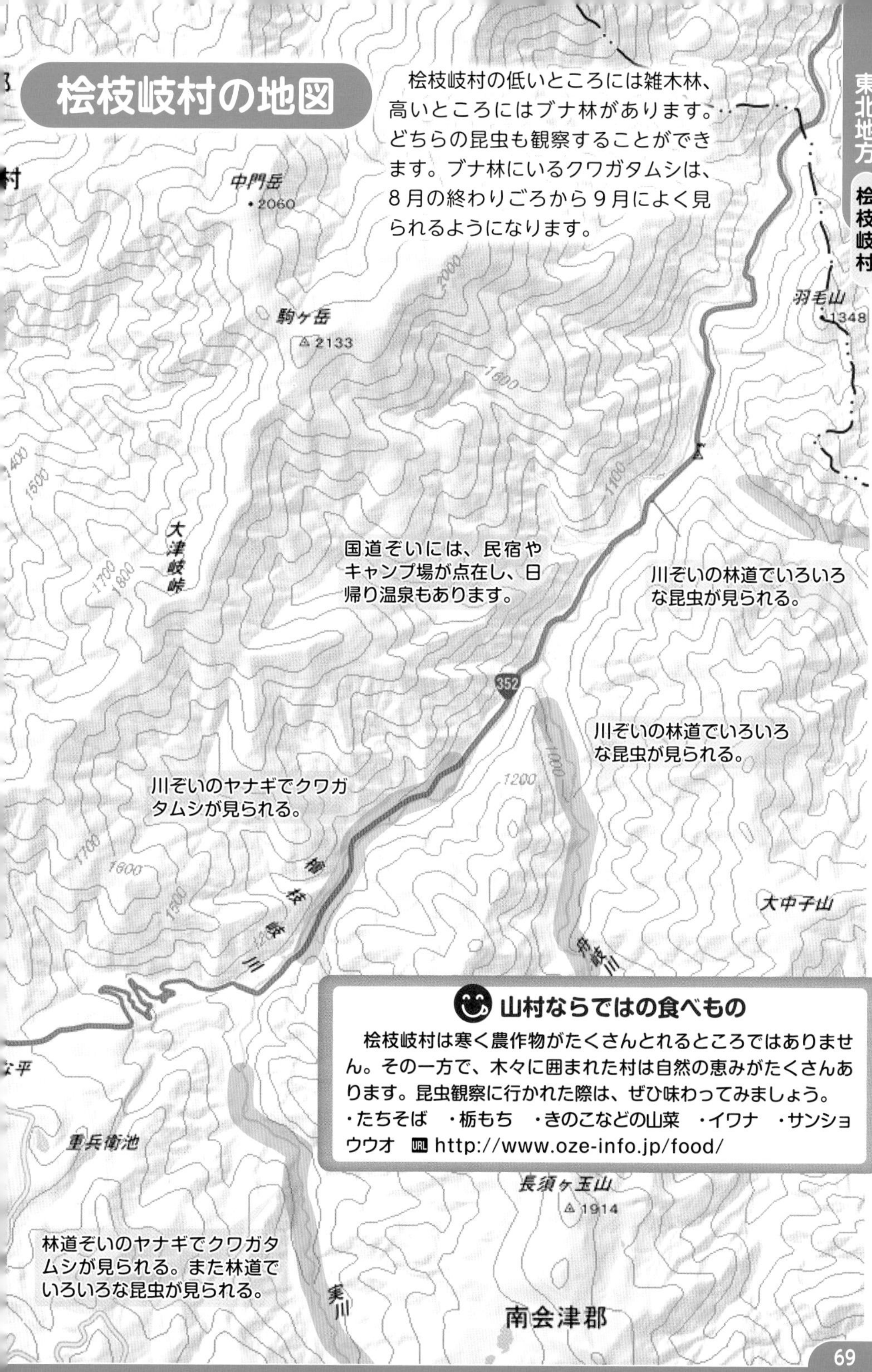
中門岳
2060
2000
駒ヶ岳
2133
1600
1400
1500
大津岐峠
1700
1800
1100
羽毛山
1348
国道ぞいには、民宿やキャンプ場が点在し、日帰り温泉もあります。
川ぞいの林道でいろいろな昆虫が見られる。
352
1000
1200
川ぞいの林道でいろいろな昆虫が見られる。
川ぞいのヤナギでクワガタムシが見られる。
1700
1600
1500
檜枝岐川
大中子山
舟岐川
重兵衛池
長須ヶ玉山
1914
林道ぞいのヤナギでクワガタムシが見られる。また林道でいろいろな昆虫が見られる。
実川
南会津郡

山村ならではの食べもの

桧枝岐村は寒く農作物がたくさんとれるところではありません。その一方で、木々に囲まれた村は自然の恵みがたくさんあります。昆虫観察に行かれた際は、ぜひ味わってみましょう。

・たちそば　・栃もち　・きのこなどの山菜　・イワナ　・サンショウウオ　URL http://www.oze-info.jp/food/

ヤナギでさがそう

桧枝岐村では、低地で見られるカブトムシやノコギリクワガタはあまり見られません。そのかわりミヤマクワガタがよく見られます。さらに低地では見ることができないアカアシクワガタを、川ぞいのヤナギなどで見ることができます。

川ぞいでヤナギが生えているのを見つけたら、クワガタムシをさがしましょう。

アカアシクワガタ / クワガタムシ科

時期 6～9月

いるところ 林など

ミヤマクワガタ / クワガタムシ科

時期 7～8月

いるところ 林

雑木林・ブナ林でさがそう

桧枝岐村の標高の低いところには雑木林、標高の高いところにはブナ林が広がっています。標高の低いところではルリボシカミキリなどのコウチュウ、標高の高いところでは、エルタテハ、キベリタテハなどのチョウ、アカアシクワガタ、ヒメオオクワガタなどのクワガタムシが見られます。

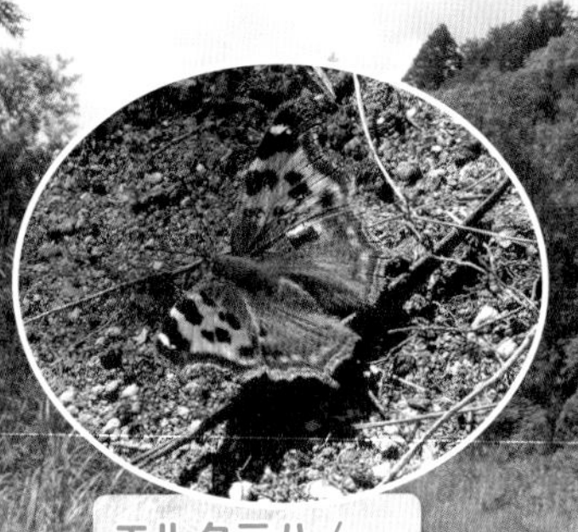

エルタテハ / タテハチョウ科

時期 7～9月

いるところ 林など

キベリタテハ / タテハチョウ科

時期 7～9月

いるところ 林など

ヒメオオクワガタ / クワガタムシ科

時期 7～10月

いるところ ブナ林など

材木置き場でさがそう

桧枝岐村では林業がさかんです。林道などに伐採された木を積んでいるところがあります（これを「土場」といいます）。土場を見つけたら、コウチュウをさがしてみましょう。土場には、切られた木をめがけて、カミキリムシなどのコウチュウが集まってくるので、いろいろな昆虫が観察できます。

ハンノアオカミキリ／カミキリムシ科
時期 6～8月
いるところ 林など

オオトラフハナムグリ／カミキリムシ科
時期 6～8月
いるところ 林など

クロタマムシ／タマムシ科
時期 6～9月
いるところ 林など

桧枝岐村まで行くのは結構時間がかかり、宿泊することになると思います。

そのような場合、昆虫の観察を手伝ってくれそうな民宿があるので、インターネットでさがしましょう。

桧枝岐や南会津町などにはいくつかそのような民宿があります。電話して聞いてから、どこに泊まるか決めましょう。

※桧枝岐村では、宿泊客以外のライトトラップの採集は禁止されています。

東北地方のそのほかの観察地

東北地方は都市から近いところでも自然が残っています。仙台周辺でも、少しはなれるだけでブナ林や草原、雑木林などの環境が見られ、昆虫観察を楽しむことができます。東北地方の山にはクマなどの野生動物も多くいます。また木が高くて昆虫をさがしにくいところが多くあります。むしろ人里近くの方が昆虫を多く安全に観察できます。

岩木山（青森県）

難易度 ★☆☆

昆虫 クワガタムシ、アカシジミなどのミドリシジミ類　**時期** 7～8月

岩木山の山麓や登山道ではアカシジミが見られますが、ときに群生して何百頭も見られることがあります。クリの花などで、いろいろな昆虫を観察できます。

- **弘前駅から車で 30 分**

滝沢市（岩手県）

難易度 ★☆☆

昆虫 トンボ類、ミドリシジミ類、カブトムシ・クワガタムシなど　**時期** 6～8月

昆虫が豊富なところです。とくに春子谷地(はるこやち)湿原（**採集禁止**）では、ハッチョウトンボなどのトンボ類、ヒョウモンチョウ類やゴマシジミなどが見られます。

- **盛岡駅から車で 30 分**

鳥海山（秋田県・山形県）

難易度 ★★☆

昆虫 ギフチョウ、クワガタムシなど

時期 4～6、7～9月

北麓の鳥海自然休養林や南麓の酒田市の森林公園などで４月下旬からギフチョウが見られます。初秋に鳥海町の林道でコブヤハズカミキリが見られます。

- **秋田駅から鳥海自然休養林まで車で 1 時間 20 分**

白布高湯温泉、西吾妻スカイバレー、天元台高原（山形県）

難易度 ★★☆

昆虫 タテハチョウ類、ミドリシジミ類、カミキリムシなど

時期 7～8月

白布高湯温泉、西吾妻スカイバレー、天元台高原では、タテハチョウ類、多くのカミキリムシを観察できます。

- **米沢駅から車で35分**

室根山（岩手県）

難易度 ★☆☆

昆虫 カブトムシ、クワガタムシ、草原性のチョウなど **時期** 7～8月

山頂まで車で行くことができます。県立の自然公園になっているので、昆虫の観察にむいています。あまり昆虫が調査されていないので、新発見があるかも!?

- **仙台駅から車で2時間10分**

秋保大滝（宮城県）

難易度 ★☆☆

昆虫 クワガタムシ、カミキリムシ、トンボなど

時期 7～8月

遊歩道や周辺の雑木林、道ぞいなどで、いろいろな昆虫が観察できます。トンボなどの水生昆虫も観察できます。植物園の中で観察するのもいいでしょう。

- **仙台駅から車で40分**

天栄村羽鳥（福島県）

難易度 ★☆☆

昆虫 トンボ類、ミドリシジミ類、クワガタムシなど

時期 7～8月

羽鳥湖の周辺でトンボなどを観察することができ、またまわりの雑木林でクワガタムシやミドリシジミ類を観察することができます。

- **白河駅から車で45分**

東北地方の昆虫が見られる施設

東北地方には、昆虫を展示している公立の博物館が多くありません。また生きた虫を展示しているところも多くありません。そのために昆虫を楽しむ施設は少ないですが、それでも一般の施設などで、昆虫標本が見られたり生きた虫が見られたりすることがあります。このほかに山形県立博物館、福島県田村市にムシムシランド、須賀川市にふくしま森の科学体験センター（ムシテックワールド、21 ページ）があります。

栗原市サンクチュアリセンターつきだて館（昆虫館）

ラムサール条約登録湿地「伊豆沼・内沼」に数多く生息する昆虫の生態を、標本や映像などで紹介している施設です。また、沼の周辺にいる昆虫も扱っています。さらに、世界中の蝶や甲虫の標本も展示しています。

URL https://ktnpr.com/kontyu/index.html
住 〒987-2224　宮城県栗原市築館字横須賀養田 20 番地 1
TEL 0228-22-7151　料 無料　開 9：00 ～ 16：30
休 月曜日（祝日は開館）、祝日の翌日、年末年始（12 月 29 日～翌年 1 月 3 日）

よねざわ昆虫館

よねざわ昆虫館は、昆虫と人との関わりや生命の大切さを学ぶ機会を提供する目的で設置されました。昆虫標本展示がおもで、外国産甲虫類や近くで採集した水生昆虫、季節ごとの身近な昆虫生体なども飼育展示しています。

URL https://yonekoncyu.wixsite.com/yonekonkomisui
住 〒992-0077　米沢市大字簗沢 1776-1
TEL 0238-32-2005　料 無料　開 9：00 ～ 17：00
休 水曜日

カメイ美術館

カメイ美術館は、世界各地の蝶の標本約 14000 頭を地域別に常設展示しています。ほかではあまり見ることのできない珍しい蝶や、世界最大・最小の蝶なども含まれています。また、他にもヘラクレスオオカブトなどの甲虫類の標本も展示しています。

URL https://kameimuseum.or.jp/
住 〒980-0022　仙台市青葉区五橋 1-1-23
TEL 022-264-6543
料 一般 300 円　高校生以下 65 歳以上無料　開 11：00 ～ 16：00　休 月曜日（祝日は開館）

関東地方

中南部の平野と北部、西部の山地

関東地方の中南部は広大な関東平野で、人口が多く、人家が密集しています。都市部以外では田畑が広がっていますが、そのなかに雑木林が点在します。

一方で北部と西部には高い山があります。とくに北部では高山性の植物や昆虫が見られる山地があります。また、その近くに、すずしい高原などがあります。

日帰りでも十分に昆虫観察が楽しめる

少し郊外の雑木林や池の周辺でも昆虫観察を楽しむことができます。また、少し遠出をして、高原などに行けば、かわった昆虫を楽しむことができます。

ハイキングしながら昆虫を楽しめる

榛名山～嬬恋

難易度
★★★

東京から車で2時間で気軽に行ける

榛名山周辺は、東京から車で2時間で行ける行楽地です。散策しながら、いろいろな昆虫を見ることができます。

榛名湖には草原とまばらなカシワの林がありますが、そこには草原性のヒョウモンチョウ類、亜高山帯にいるタテハチョウ類、林にいるミドリシジミ類、コウチュウやバッタ類が見られます。

時期は7～8月

最近、昆虫がよくくる花がシカに食べられて少なくなりましたが、花を見つけると、いろいろな昆虫が観察できます。

牧場のまわりなどの草地や林の縁の草地も狙い目です。

榛名山～嬬恋の地図

榛名山～嬬恋周辺は、地図にのっているところだけでなく、まわりの雑木林や草地などもさがしてみましょう。採集禁止の昆虫もいるので注意しましょう。

群馬県のうどん

群馬県はうどんがおいしい県です。榛名湖の麓にある伊香保温泉の近くにある水沢うどんが有名ですが、ほかでもおいしいうどんを食べることができます。県の南西部は地粉引きのうどんで、またちがった味があります。

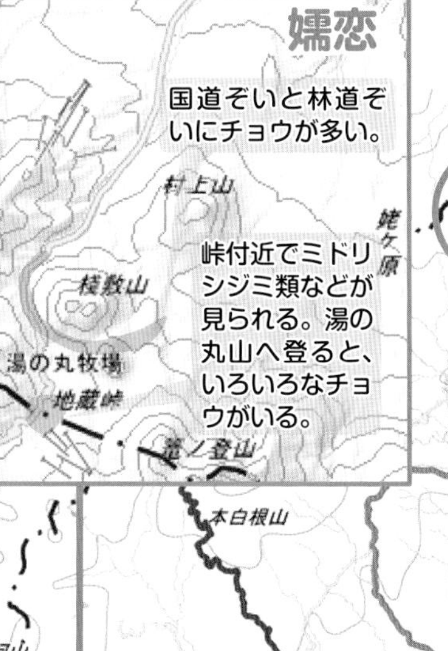

嬬恋
国道ぞいと林道ぞいにチョウが多い。
村上山
峠付近でミドリシジミ類などが見られる。湯の丸山へ登ると、いろいろなチョウがいる。
湯の丸牧場
地蔵峠
篭ノ登山

白砂山
本白根山
吾妻
東吾妻
長野原
吾妻川
嬬恋
群馬
万騎峠周辺の雑木林には昆虫が多い。
浅間隠山
1757
浅間牧場周辺の草原にはチョウが多い。
浅間山
2568
榛名山
1449
榛東

嬬恋村までの時間
東京から車で約 3 時間
（上信越自動車道）

野反湖までの時間
東京から車で約 3 時間 30 分
（関越自動車道）

榛名山までの時間
東京から車で約 2 時間 30 分
（関越自動車道）

夏の草原と林にいる昆虫

榛名山から嬬恋の間は、林と草原があります。とくに榛名山では草原とカシワ林が入り混じっているところがあります。そのような場所で、チョウなどをはじめ、ガやバッタなど、多くの昆虫を見ることができます。また、周辺の林にはミヤマクワガタなどがいます。街灯をこまめに回ると見つけやすいです。牧場があれば、ウシのふんをひっくりかえすと、コウチュウがいます。

ハヤシミドリシジミ / シジミチョウ科

時期　7月

いるところ　カシワの林

幼虫がカシワの葉を食べるため、カシワの林を見つけることが観察のポイントです。夕方に見晴らしのいいこずえなどにとまり、ほかのチョウなどを追いかけ回します。

ウラギンスジヒョウモン / タテハチョウ科

時期　7～8月

いるところ　草原

アザミの花などにきますが、このチョウがくる花がシカに食べられているため、なかなか見ることができなくなりました。少し湿った草原にいます。

ヒメシジミ / シジミチョウ科

時期　6～7月

いるところ　草原など

草原の花などによくきます。地面からあまりはなれていない低いところを飛びます。めすのはねの表は黒く、一見別の種のように見えます。

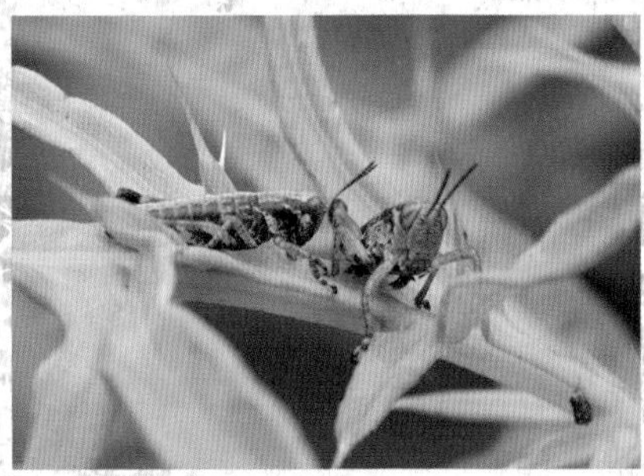

フキバッタのなかま / バッタ科

時期　7～9月

いるところ　おもに林の縁や林の中の草地

フキバッタのなかまは何種類もいますが、林の縁の草地などでよく見られます。成虫になってもはねはのびず、はねることはできても、飛ぶことはできません。

ミヤマクワガタ / クワガタムシ科

時期 7～8月

いるところ ナラ林など

樹液を見つけたら観察できます。樹液を見つけられなかった場合は、水銀灯や蛍光灯の街灯で夜に見つけるか、ヤナギなどで観察します。標高が高いところは、昼間も活動します。

ゴマフカミキリ / カミキリムシ科

時期 5～7月

いるところ 林など

標高が高いところに行くと林がよく残っているため、多くのカミキリムシを見ることができます。木にさく白い花を見つけたら、カミキリムシをさがしてみましょう。

野反湖にいる昆虫

野反湖は、川をダムでせき止めてつくられた湖です。湖のまわりには草原が広がっていて、コヒョウモンなどのヒョウモンチョウ類や高山チョウのベニヒカゲを見ることができます。また駐車場付近では、エルタテハなどを観察することができます。

ベニヒカゲ / タテハチョウ科

時期 8月中旬～下旬

いるところ 草原

お盆のころから見られます。写真で見ると黒くて地味なチョウですが、飛んでいるときはオレンジが目立ち、とても美しく見えます。採集は禁止されています。

コヒョウモン / タテハチョウ科

時期 7月中旬～下旬

いるところ 草原

小さなヒョウモンチョウで、標高が高いところにすむチョウです。このあたりでは野反湖と水上山地、丹原高原などにいます。花によくきます。

世界遺産の近くは昆虫の楽園

日光周辺

難易度 ★☆☆

世界遺産を見学して昆虫を楽しめる日光

日光周辺は、江戸時代の終わりから明治時代の初めにかけて、多くの外国人が昆虫の調査をしたところです。夏に暑い東京をさけて、歩いたり馬に乗ったりして、すずしい日光までやってきて、昆虫を調べた記録が残っています。

時期は７～８月

日光の市街地から奥日光にいくと、戦場ヶ原の湿原が広がっています。そこでは草原性の昆虫、湿原が好きな昆虫が多くすんでいます。また川治温泉や鬼怒川温泉などでは、ミヤマクワガタなどのコウチュウが見られます。

日光戦場ヶ原までの時間

東京から車で３時間
東京駅から新幹線、JR、バスで３時間30分

鬼怒川温泉までの時間

東京から車で約２時間40分
東京駅からJR、東武で約２時間15分

日光周辺の地図

日光周辺は、草原があるところと谷あいの林があるところで、昆虫を観察できます。地図にのっていないところでも、牧場や雑木林などで昆虫をさがしましょう。

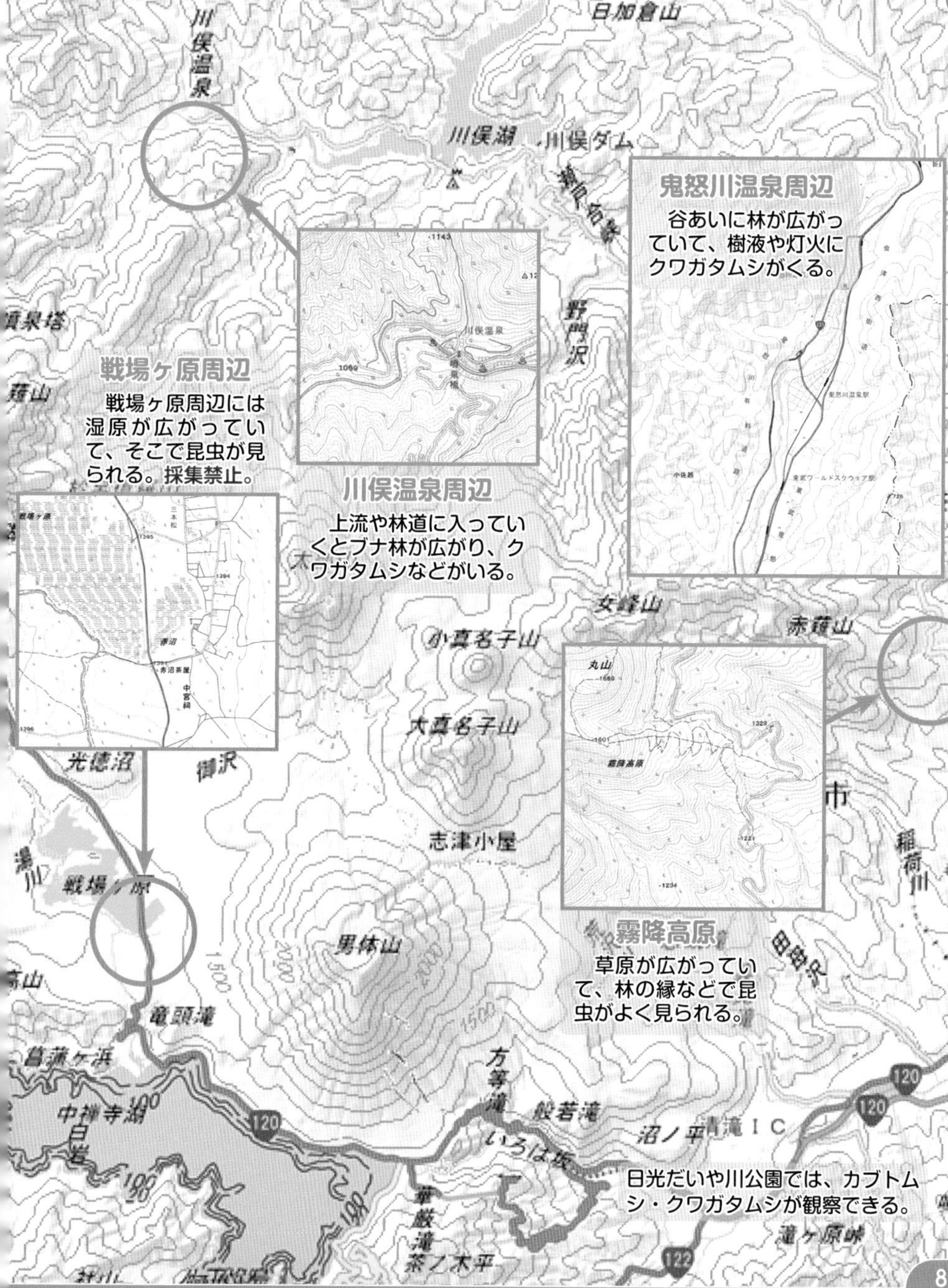

日光市
平五郎山
川俣温泉
日加倉山
川俣湖
川俣ダム
野門沢
鬼怒川温泉周辺
谷あいに林が広がっていて、樹液や灯火にクワガタムシがくる。
戦場ヶ原周辺
戦場ヶ原周辺には湿原が広がっていて、そこで昆虫が見られる。採集禁止。
川俣温泉周辺
上流や林道に入っていくとブナ林が広がり、クワガタムシなどがいる。
女峰山
赤薙山
小真名子山
大真名子山
光徳沼
御沢
湯川
戦場ヶ原
志津小屋
男体山
霧降高原
草原が広がっていて、林の縁などで昆虫がよく見られる。
稲荷川
竜頭滝
菖蒲ヶ浜
中禅寺湖
方等滝
般若滝
沼ノ平
清滝ＩＣ
いろは坂
華厳滝
茶ノ木平
日光だいや川公園では、カブトムシ・クワガタムシが観察できる。
鳴虫山
滝ヶ原峠
120
122

夏の草原にいる昆虫

日光周辺には戦場ヶ原、霧降高原などの草原があります。戦場ヶ原にはこの辺ではめずらしいフタスジチョウが見られ、また草原の花などでヒョウモンチョウ類が見られます。立ち入り禁止のところがあるので、気をつけましょう。

フタスジチョウ / タテハチョウ科

時期　6月下旬～7月

いるところ　シモツケ類が生える草原

戦場ヶ原のまわりの草原にいます。

ウラギンヒョウモン / タテハチョウ科

時期　6月下旬～7月

いるところ　草原

花によくきます。

コキマダラセセリ / セセリチョウ科

時期　7月

いるところ　草原など

花によくきます。

トラガ / ヒトリガ科

時期　5～6月

いるところ　林の縁など

昼間に活動します。

センチコガネ / センチコガネ科

時期　4～10月

いるところ　草原、牧場など

動物のふんにきます。

アキアカネ / トンボ科

時期　6月下旬～9月

いるところ　水辺や草原など

春と秋は平地にいます。

林にいる昆虫

鬼怒川温泉や川治(かわじ)温泉のまわりにある林では、いろいろなコウチュウが見られます。カミキリムシなどの種類が多いので、花などをよく見てさがしましょう。また、このあたりはミヤマクワガタなどのクワガタムシが多いところです。

ミヤマカラスアゲハ／アゲハチョウ科
時期 4～9月
いるところ 林の縁など
花にもきますが、水たまりなどにもきます。

ミヤマクワガタ／クワガタムシ科
時期 7～8月
いるところ 林
夜に樹液やあかりにきます。

ヒメヒゲナガカミキリ／カミキリムシ科
時期 6～8月
いるところ マツの林
幼虫はマツの枯れ木を食べます。

エゾハルゼミ／セミ科
時期 6～7月
いるところ ブナ林など
オーギィー・オーギィーと鳴きます。

奥鬼怒温泉には、奥鬼怒温泉オートキャンプ場が、川俣(かわまた)温泉には国民宿舎渓山荘があります。とくに川俣温泉はクワガタムシが多いところなので、昼も夜も昆虫を楽しむことができます。

また、奥鬼怒温泉や川俣温泉では宿泊した人が参加できる星空＆昆虫観察「夏休み☆夜の野外授業」が開催されています。くわしくは、インターネットで検索してください。

夜は夜景が楽しめて、クワガタムシも観察できる

筑波山周辺

難易度 ★☆☆

オオムラサキ

ウラミスジシジミ

ミヤマクワガタ

東京から近い筑波山

筑波山周辺では、クワガタムシやミドリシジミ類が観察できます。キャンプ場にとまって、じっくりさがすのがおすすめです。

桜川市真壁町側では、トンボ類が観察でき、また雑木林の昆虫がいます。

時期は7～8月

行ってみよう！

豊里ゆかりの森

つくば市の豊里ゆかりの森には昆虫館があり、周辺の昆虫のほか、世界のカブトムシ・クワガタムシの標本を展示しています。まわりの雑木林には、カブトムシやノコギリクワガタが観察できます。

キャンプ場もあります。くわしくは、

URL http://www.tsukubaykr.jp/ 料（昆虫館）大人220円、小人（小・中・高）110円

筑波山周辺の地図

筑波山は山頂でも昆虫は見られますが、ふもとの雑木林などで観察したほうが面白い昆虫が見られます。桜川市側はあまり昆虫が多くはありません。

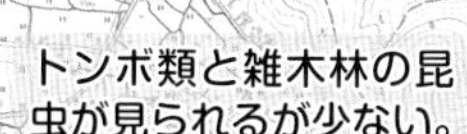
トンボ類と雑木林の昆虫が見られるが少ない。

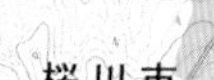
桜川市

つくばねオートキャンプ場

キャンプ場の雑木林でクワガタムシやオオムラサキが見られる。ここに泊まって昆虫観察をしよう。くわしくは、
URL https://tsukubane-camp.com/

ケーブルカー宮脇駅

街灯などにクワガタムシやガが集まる。

雑木林などでクワガタムシ類が見られる。

筑波ふれあいの里

まわりの雑木林でクワガタムシやミドリシジミが見られる。ここに泊まって昆虫観察をしよう。くわしくは、
URL http://www.tsukubafri.jp/

石岡市

筑波山

つくば市

筑波山までの時間

東京から車で約1時間45分

きれいな公園の中で昆虫観察

国営ひたち海浜公園周辺

難易度
★★★

国営ひたち海浜公園の中には、自然があります。そこではカブトムシやクワガタムシ、各種のチョウ、カミキリムシなどが多く見られます。**採集は禁止されていますが、**保護区内での自然観察会や昆虫観察会などが開催されます。

時期は４月下旬～８月（昆虫観察）
公園周辺の雑木林でもさがしましょう。

国営ひたち海浜公園周辺の地図

那珂郡
日本原子力研究開発機構
菅谷駅
常磐線
この辺の雑木林にはカブトムシが観察できる。
公園の中に雑木林や草地があり、昆虫が見られる。採集禁止
下菅谷駅
佐和駅
32
水郡線
後台駅
349
茨城港
ひたちなか市
ひたち海浜公園
245
常陸那珂港ＩＣ
常陸津田駅
E50
常陸那珂有料
ひたち海浜公園ＩＣ

国営ひたち海浜公園までの時間
東京から車で約２時間
勝田駅からバスで約 20 分

6
勝田駅
29
ひたちなか海浜
阿字ヶ浦駅
常陸青柳駅

国営ひたち海浜公園にいる昆虫

国営ひたち海浜公園の中には雑木林、草地だけでなく、水辺もあります。そのため、カブトムシやチョウだけでなく、トンボなども観察できます。めずらしいオゼイトトンボも観察することができます。

カブトムシ

ノコギリクワガタ

ルリタテハ／タテハチョウ科
時期　4～10月
いるところ　林の縁など

オゼイトトンボ／イトトンボ科
時期　5～7月
いるところ　池、小川

ここに行ってみよう！

国営ひたち海浜公園

国営ひたち海浜公園の中には、水辺のある里山をのこした「ひたちなか自然の森」と「沢田湧水地」がある樹林エリア、草原エリア、砂丘エリアと、いろいろな環境があり、それぞれのエリアで昆虫観察が楽しめます。昆虫観察のあとには公園の中の遊園地で遊ぶことができます。

URL https://hitachikaihin.jp/
住 〒312-0012　茨城県ひたちなか市馬渡字大沼605-4　TEL 029-265-9001
料 大人（高校生以上）450円　中学生以下無料
開 9：00～17：00（季節によって変わるので、ホームページで確認してください）　休 火曜日

清澄山周辺

難易度 ★★☆

房総半島南部の清澄山周辺は、カシやシイがうっそうと茂る照葉樹林があります。照葉樹林にはノコギリクワガタだけでなく、ヒラタクワガタなどが観察できます。また、清澄山周辺はルーミスシジミが見られるところとしても有名です。

●時期は７～９月

カブトムシは６月下旬から見られます。

清澄山までの時間
千葉駅から車で約１時間 40 分

清澄山周辺の地図

道から少し入った集落で、いろいろな昆虫が観察できる。

公園内でルーミスシジミが観察できる。またクワガタムシも観察できる。

川ぞいでルーミスシジミが観察できる。

富津市民の森

清和県民の森

田のまわりやため池などで水生昆虫が観察できる。あぜでシルビアシジミが観察できるかも。

佐久間ダム親水公園内でトンボが観察できる。

ルーミスシジミの観察の仕方

ルーミスシジミは、おもに沢や道の木漏れ日がさすようなところにいます。道の上からでも観察できます。秋のよく晴れて、暑い日に多くの個体が活動します。

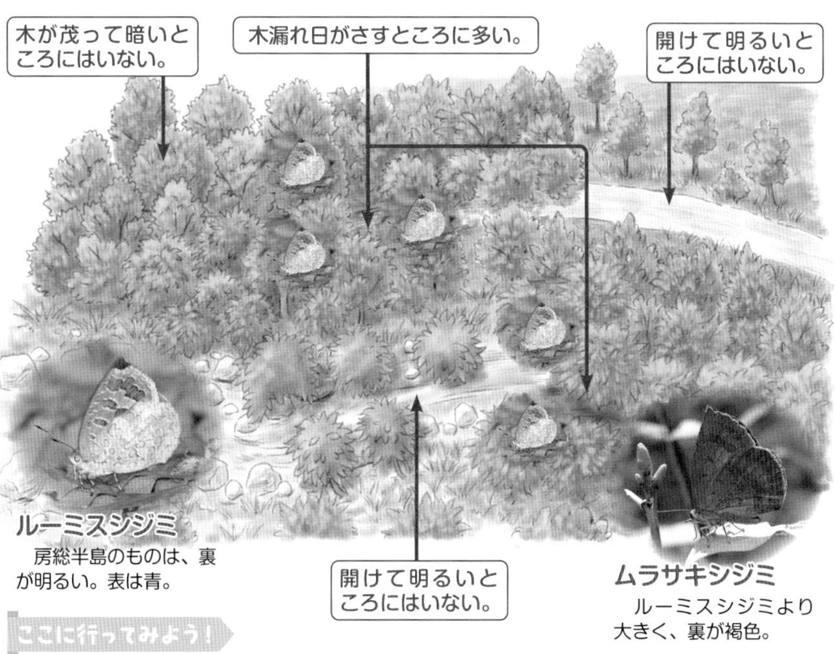

木が茂って暗いところにはいない。
木漏れ日がさすところに多い。
開けて明るいところにはいない。
開けて明るいところにはいない。

ルーミスシジミ
房総半島のものは、裏が明るい。表は青。

ムラサキシジミ
ルーミスシジミより大きく、裏が褐色。

ここに行ってみよう！

清和県民の森

清和県民の森は房総半島南部の山地の中にあり、自然に囲まれています。森林あり、渓流ありで、遊歩道を歩くだけで、昆虫観察ができます。遊歩道はカシ・シイの林に囲まれていて、東京の雑木林とはちがった雰囲気の森を楽しめます。昆虫だけでなく野鳥なども楽しめます。オートキャンプ場やキャンプ場、バーベキュー場があります。**採集禁止**です。

URL https://www.seiwanomori.jp/104-2/
住 〒292-1179　千葉県君津市豊英 660
TEL 0439-38-2222

富津市民の森

富津市民の森は、房総半島中央の豊かな自然の中に位置しています。パノラマ広場、野鳥の森などの施設があります。夏にはバンガロー、炊事やシャワーなどの施設の完備されたキャンプ場も開設されます。また、駐車場、遊歩道も整備されていますので、4km・6km のハイキングも楽しむことができ、遊歩道を歩いて昆虫観察することができます。**採集禁止**です。

URL https://www.city.futtsu.lg.jp/0000000354.html　住 〒299-1742　富津市豊岡 2785 番地 1
TEL 0439-68-1800　休 月曜日

清澄山周辺の森にいる昆虫

清澄山周辺の照葉樹林には、ノコギリクワガタやミヤマクワガタ、ヒラタクワガタがすんでいます。また多くの種類のカミキリムシがいます。また、ここにはヤマキマダラヒカゲが低いところからすんでおり、かわったもようをしています。

ノコギリクワガタ

ヒラタクワガタ／クワガタムシ科

時期　4～10月
いるところ　林
木の穴にもぐっています。

シロスジカミキリ／カミキリムシ科

時期　5～9月
いるところ　林
川ぞいでよく見られます。

センチコガネ／センチコガネ科

時期　6～9月
いるところ　林、草原など
けもののふんにきます。

ヤマキマダラヒカゲ／タテハチョウ科

時期　5～8月
いるところ　林の縁など
ササの近くによくいます。

クロコノマチョウ／タテハチョウ科

時期　5～11月
いるところ　林など
夕方と朝方に飛びます。

池や田、あぜでさがしてみよう

房総半島南部には田が広がり、池や小川があり、ゲンゴロウ類などの水生昆虫が見られます。トンボもたくさん観察できます。また、田のあぜにはいろいろな昆虫が見られ、シルビアシジミなどが観察できます。

シルビアシジミ／シジミチョウ科
時期 4～10月
いるところ シロツメクサが生えたあぜなど

シマゲンゴロウ／ゲンゴロウ科
時期 5～10月
いるところ 池、田など

ミズカマキリ／タイコウチ科
時期 4～10月
いるところ 池、田など

ガムシ／ガムシ科
時期 4～10月
いるところ 池

ここに行ってみよう！

鴨川シーワールド

鴨川シーワールドはシャチパフォーマンスをはじめ、ベルーガやイルカ、アシカのパフォーマンスなどが人気の水族館。なかでも、川の源流から海へと続く環境を再現し、淡水の魚を上流、中流、下流に分けて展示しているエコアクアロームは見ごたえがあります。鴨川シーワールドでは、関東地方で房総半島の一部しか生息していないシャープゲンゴロウモドキの展示・保全活動をおこなっています。

URL https://www.kamogawa-seaworld.jp/
住 〒296-0041　千葉県鴨川市東町 1464-18
TEL 04-7093-4803　料 大人（高校生以上）3300 円　小人（小中学生）2000 円　幼児（4 歳以上）1300 円　営 9:00～16:00（日により変動）　休 不定休（公式 HP を確認してください）

東京から近くて、いろいろな昆虫に出会える

野田・流山・柏

難易度 ★☆☆

野田、流山、柏付近は、昆虫がすむのにいい雑木林や河川敷があります。そこでは、普通種ばかりですが、いろいろな昆虫を観察することができます。**野田市では野生動物の採集を禁止している**ので注意しましょう。

新選組の街、流山

流山市は、幕末に新選組が流山に逃れ、そこを本拠地にしました。しかし、新政府軍に囲まれて、隊長の近藤勇は捕らえられ、そこで処刑されました。流山には、近藤勇の陣屋跡があります。また、流山は江戸時代からみりんの産地で、旧市街地では蔵と歴史を思いおこさせる街並みも味わえます。

URL https://nagareyamakankou.com/

野田、流山、柏の地図

三ツ堀公園とその付近では、カブトムシ、クワガタムシなどが見られる。採集禁止。

理想の森では、雑木林などが広がり、カブトムシなどがよく見られる。採集禁止。

利根運河ぞいに草地にいる昆虫が見られる。

この辺に雑木林が散らばっている。

地図に書いているところにかぎらず、いろいろさがしましょう！

野田、流山、柏までの時間

東京から車で 50 分

観察にむいているところ

利根川運河ぞい

昆虫 ギンイチモンジセセリ、ミヤマチャバネセセリなど

時期 4～10月

利根運河の県道7号線の東側に草地があります。そこではギンイチモンジセセリやミヤマチャバネセセリ、ジャコウアゲハなどが見られます。秋になるとセンダングサが生え、キタテハやモンキチョウなど、多くのチョウが観察できます。

三ツ堀公園付近

昆虫 ノコギリクワガタ、ミドリシジミ、コムラサキ、ゴマダラチョウなど

時期 4～10月

三ツ堀公園では、樹液が出ているクヌギの木があり、カブトムシやノコギリクワガタ、ゴマダラチョウなどが見られます。また、ハンノキがあり、6月中旬以降にミドリシジミを観察することができます。**採集禁止です。**

理想の森付近

昆虫 カブトムシ、アカシジミ、ミズイロオナガシジミ、アオオサムシなど

時期 4～10月

理想の森にはよく手入れされた雑木林と池があり、ミズイロオナガシジミやアカシジミなどが観察できます。またカブトムシ、ノコギリクワガタを観察することができます。池では、チョウトンボなどのトンボを観察することができます。**採集禁止です。**

野田・流山・柏で見られる昆虫

雑木林

カブトムシ / コガネムシ科

時期　6～8月

野田、流山、柏の雑木林では、カブトムシがよく見られます。

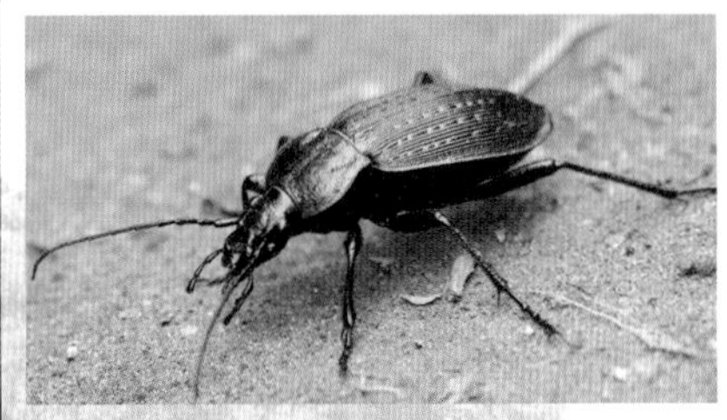

アオオサムシ / オサムシ科

時期　4～6月、8～10月

夜行性で観察しにくいですが、トラップにきます。

コシロシタバ / ヤガ科

時期　7～8月

夜に活動します。樹液にきているのを観察できます。

サトキマダラヒカゲ / タテハチョウ科

時期　5、7～8月

林の中にいます。樹液にくることがあります。

ゴマダラチョウ / タテハチョウ科

時期　5～6、7～8月、9月

樹液によくきます。5～6月のものは白くなります。

ウラナミアカシジミ / シジミチョウ科

時期　6月

クヌキ、コナラの林にいます。昼に下草に止まっているものがいます。

堤防ぞいの草地

ギンイチモンジセセリ / セセリチョウ科

時期 4～10月

草地のススキの間をぬうように飛びます。

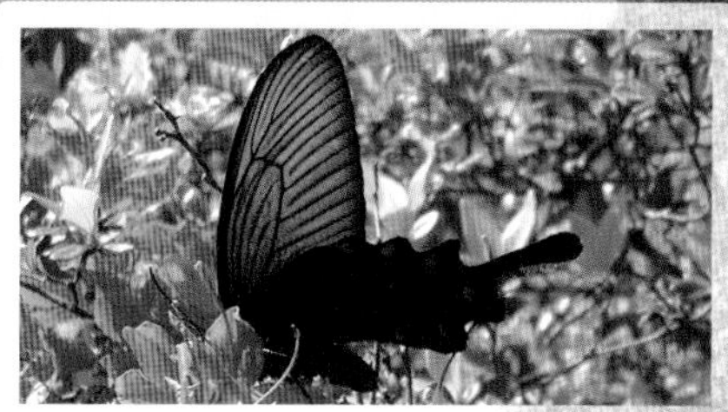

ジャコウアゲハ / アゲハチョウ科

時期 4～10月

黒く、腹が赤いチョウです。ゆっくり飛びます。

水路ぞいのヤナギ林

ノコギリクワガタ / クワガタムシ科

時期 6～9月

樹液にもきますが、昼間にヤナギの枝でよく見つかります。

コムラサキ / タテハチョウ科

時期 5～10月

ヤナギのまわりにいます。ヤナギの樹液を吸います。

池のまわり

チョウトンボ / トンボ科

時期 7月

池に生えているアシなどのまわりをひらひらと飛びます。

ウチワヤンマ / サナエトンボ科

時期 5～9月

池のまわりを、はやいスピードで飛びます。

昆虫をおびきよせよう!

野外で昆虫をさがしても、なかなか見つかりません。そんなときは、トラップをかけて、昆虫をおびきよせましょう。とくにキャンプなどで泊まって昆虫観察ができるときなどは、トラップをかけておくと、たくさんの昆虫が観察できます。

バナナトラップ

樹液が出ている木をさがすのはむずかしいことがよくあります。そのようなときは、バナナトラップをしかけると、カブトムシ・クワガタムシが観察できます。

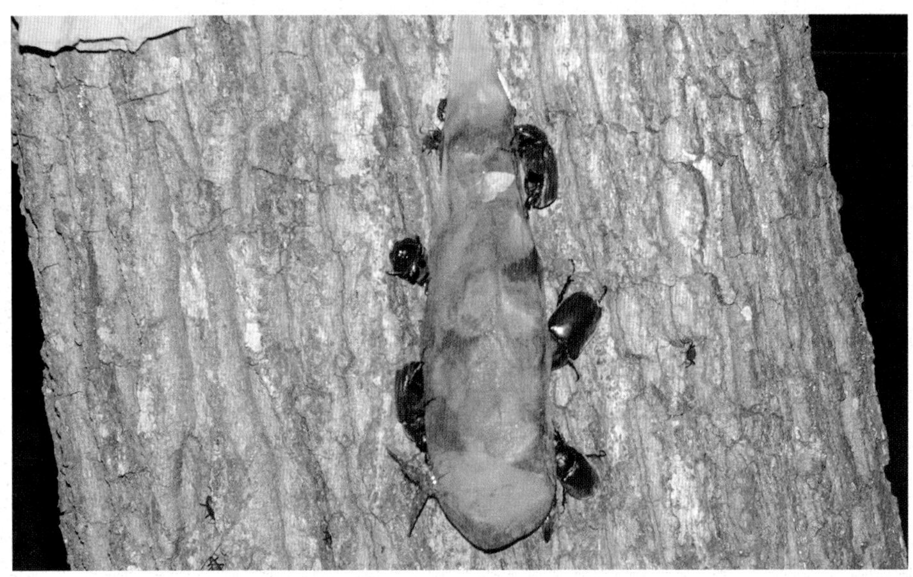

用意するもの

- 古くなった、両足にはくタイプのストッキング
- バナナ(トラップ1本につき、2本用意します)
- 焼酎
- 密閉容器

1

バナナを皮ごと輪切りにします。

2

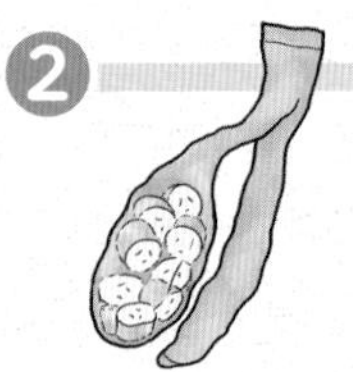

輪切りにしたバナナをストッキングの片足の方に入れます。

3

バナナを入れた方の足の上側をしばって密閉容器に入れ、焼酎を容器いっぱい入れます。ふたをして一晩おきます。

バナナトラップは昼にしかけよう

カブトムシ、クワガタムシは夕方から活動をはじめて、夜の７～８時に活発になります。バナナトラップは、午後２～４時にしかけましょう。

そして８～９時に観察に行きます。できるのなら、明け方にも行きましょう。気温が低い日にはこないことがあるので注意してください。

※バナナトラップは、観察しおわったら、必ず回収すること！

糖蜜

樹液にくるガを集める方法です。バナナトラップより簡単にできて、調子がよければ、いろいろなガを見ることができます。

用意するもの

- きりふき
- 果汁 100%のジュース（カルピスの原液でもいい）
- 酢
- 焼酎

1. ジュースと酢、焼酎を２：１：１の割合でまぜあわせます。それをきりふきに入れます。
2. 昼間に、林の縁の葉の上や木の幹にかけます。夜に観察します。

※ティッシュペーパーに糖蜜をしみこませる方法もあります。

オサムシトラップ

オサムシやゴミムシは、昼間にはなかなか見つけることができません。そこでオサムシトラップをかけると、下の写真のように、次の日の朝にオサムシやゴミムシが観察できます。ほかにもシデムシなども観察できます。

アオオサムシ

※オサムシトラップは、観察しおわったら、必ず回収すること！

用意するもの

❶

プラコップの底から1cmくらいのところに、キリ通しで穴をあけます。

❷

プラコップにさなぎ粉を入れます（とうがらしを入れると、タヌキがくるのを防ぎます）。

❸

スコップで穴をほり、❷のプラコップを入れます。昆虫が入りやすいように、プラコップのふちを地面と同じ高さにします。

夜行性の昆虫の中には、あかりにくるものがいます。そのような昆虫をライトで集めるのが、ライトトラップです。下の写真は昆虫愛好家がつかうライトトラップですが、簡単なものもあります。LED ではない自動車のライトもつかえます。

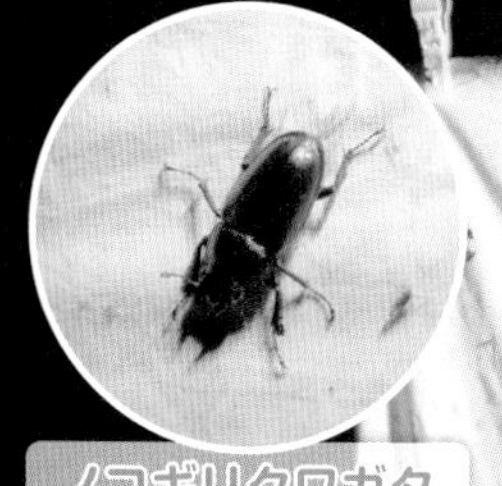

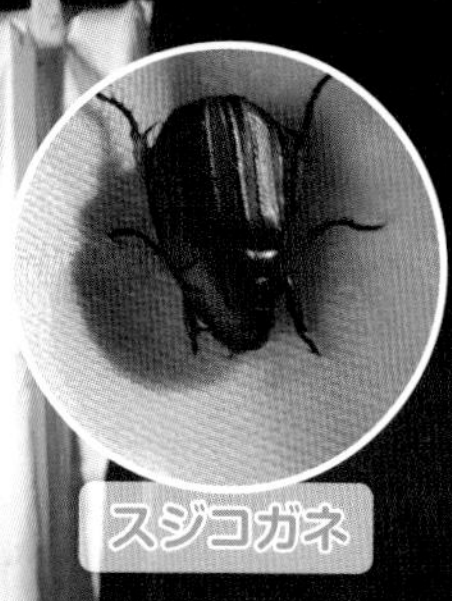

ノンネマイマイ

簡易版のライトトラップ

昆虫がくる光を出す LED をつかった、簡単なライトトラップが昆虫文献六本脚（252 ページ）とむし社（16 ページ）で販売されています。これをつかうと、手軽にライトトラップが楽しめます。

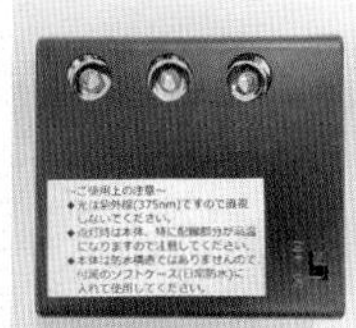

ライトからは紫外線が出ます。

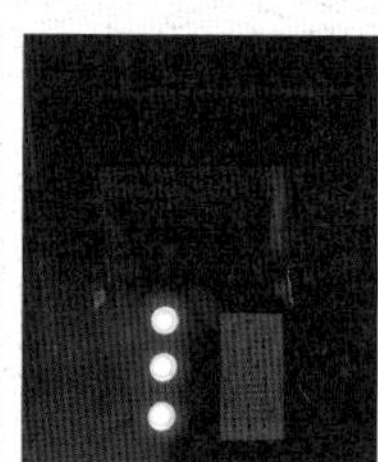

ライトが 3 つつきます。中に乾電池を入れるしくみです。

夜につけると、ガなどの昆虫が集まります。

自動車のヘッドライトをつかう方法

自動車のヘッドライト（LED ではない車種のもの）の光を、白いシーツに照らすと昆虫が集まります。最新の自動車の場合には、ヘッドライトがハロゲンライトか LED か確かめてください。自動車の LED の光には昆虫は集まりません。

都心から近い自然の宝庫

高尾山周辺

難易度 ★★☆

高尾山は、東京の昆虫愛好家や写真愛好家がよく行くところです。東京の都心に近いのに自然が残っており、ブナ林があって、昆虫がたくさんいます。

時期は４月下旬と７～８月

クワガタムシが多くいます。

高尾山周辺の地図

川ぞいで昆虫を観察できる。

八王子市

川ぞいで昆虫を観察できる。

川ぞいで昆虫を観察できる。

山頂の尾根やその付近で
昆虫を観察できる。

高尾山口駅

高尾山

高尾山口までの時間

東京からJR、京王で約１時間20分

高尾山で見られる昆虫

高尾山の標高の高いところにはブナ林が広がり、いろいろな昆虫がいます。山頂付近を尾根伝いに歩いていくと、ふもとからのぼってきた昆虫が見られす。また川ぞいや林の中の草地には、いろいろな昆虫が集まります。

ミヤマクワガタ

ノコギリクワガタ

ヨコヤマヒゲナガカミキリ／カミキリムシ科

時期　7～9月
いるところ　ブナ林
あかりにやってきます。

アカエゾゼミ／セミ科

時期　7～9月
いるところ　林
「ビーン」と鳴きます。

スミナガシ／タテハチョウ科

時期　5、7，9月
いるところ　林の縁など
夏は夕方に山頂にきます。

アオバセセリ／セセリチョウ科

時期　5、7，9月
いるところ　林の縁など
夕方に山頂にきます。

高尾山の夜に見られるガ

高尾山にはガが多くいます。日本で初めて高尾山でとれたガもいます。今でも多くの研究者がガを観察するために高尾山をおとずれます。水銀灯の街灯を見つけたら、見てみましょう。いろいろなガが見られます。

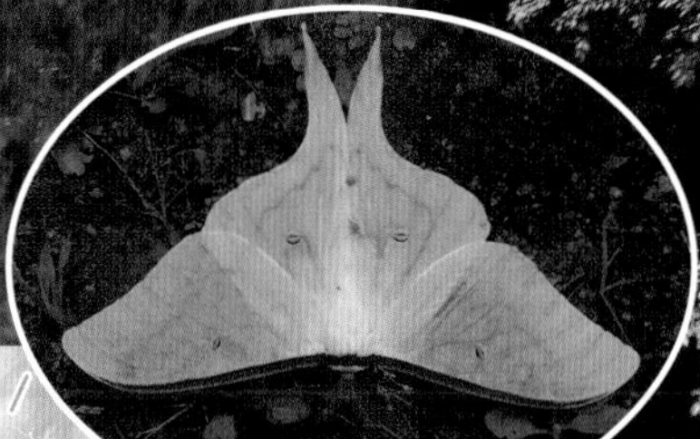

オオミズアオ／ヤママユガ科
時期　5、7月
いるところ　林など
低地でもよく見ます。

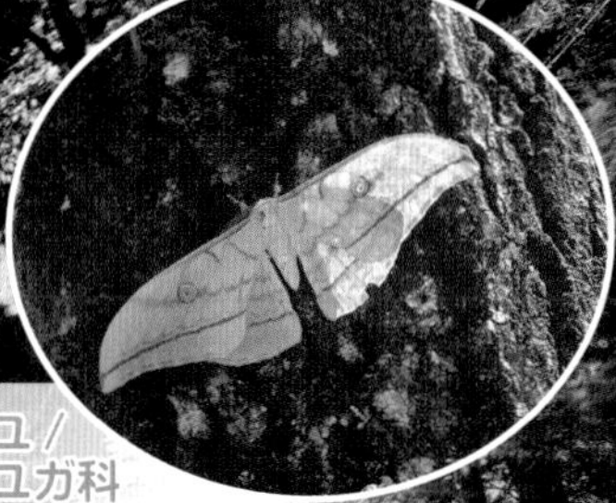

ヤママユ／ヤママユガ科
時期　8～9月
いるところ　林
街灯によくきます。

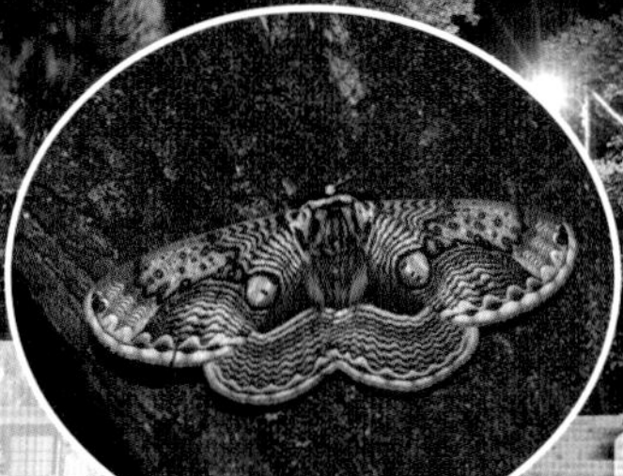

イボタガ／ドクガ科
時期　3～5月
いるところ　林など
とても美しいガです。

アゲハモドキ／アゲハモドキガ科
時期　5～9月
いるところ　林、市街地
ジャコウアゲハに似ています。

アケビコノハ／ヤガ科
時期　3～11月
いるところ　林の縁など
ふつうははねを閉じています。

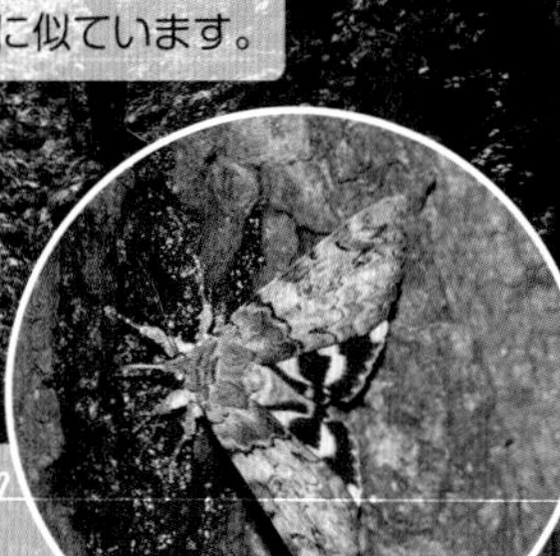

キシタバ／ヤガ科
時期　7～8月
いるところ　林
樹液にもきます。

裏高尾などで見られる昆虫

裏高尾町や上恩方町（かみおんがたまち）などには、農村と里山が広がっています。そこでは、5月ごろにウスバシロチョウやアゲハチョウ類などが見られます。夏にはカブトムシやクワガタムシ類が見られます。風景を歩いてみながら、昆虫を観察しましょう。

クモガタヒョウモン／タテハチョウ科

時期　5月
いるところ　草地など
花によくきます。

ウスバシロチョウ／アゲハチョウ科

時期　5月
いるところ　草地など
花によくきます。

カラスアゲハ／アゲハチョウ科

時期　5～9月
いるところ　林の縁など
道をよく飛んでいます。

ここに行ってみよう！

多摩動物公園昆虫館

多摩動物公園の中にある昆虫園は、「昆虫園本館」と「昆虫生態園」のふたつの建物があります。「昆虫園本館」では日本でここだけの、葉を切って巣に運ぶハキリアリや、おしりの先を青く光らせているグローワームを展示しています。そのほかにヘラクレスオオカブトや水生昆虫の展示があり、虫とふれあうコーナーもあります。「昆虫生態園」では様々な植物が植えられた大温室があり、数多くのチョウが飛び交う様子を観察できます。

大温室の隣では、トノサマバッタやカブトムシなどを一年中展示しています。

URL https://www.tokyo-zoo.net/zoo/tama/
住 〒191-0042　東京都日野市程久保 7-1-1
TEL 042-591-1611
料 大人 600 円　中学生 200 円　小学生以下無料
開 9：30～17：00　休 水曜日

関東地方のそのほかの観察地

東京から関東平野をぬけて、山があるところまで行くのには車で時間がかかりますが、都市の近郊でも雑木林が残っていて、昆虫観察ができるところが多くあります。近くの雑木林で、昆虫をさがしてみましょう。また、昆虫観察にいいところは、自然に囲まれた観光地かその近くに多くあります。ついでによってみましょう。

沼田市周辺（群馬県）

難易度 ★★☆

昆虫 ヒョウモンチョウ類、タテハチョウ類、カミキリムシなど

時期 7月

玉原高原などでは草原性の昆虫、利根地区付近では林の昆虫、根利牧場ではふんにくる昆虫が見られます。また、ミドリシジミ類も見られます。

- **東京から玉原高原まで車で2時間30分**

赤城山（群馬県）

難易度 ★★☆

昆虫 ヒョウモンチョウ類、ウラジャノメ、ミドリシジミ類、クワガタムシ類など

時期 7月

山頂付近の草原でヒョウモンチョウなどのヒョウモンチョウ類、ふもとの林などでミドリシジミ類、クワガタムシ類が見られます。

- **東京から車で2時間30分**

鬼怒川河川敷（栃木県）

難易度 ★★☆

昆虫 ミヤマシジミ、ツマグロキチョウ、バッタ類、トンボ類など　**時期** 5～9月

宇都宮市北部からさくら市の鬼怒川河川敷には、ツマグロキチョウ、後ろばねが青いクルマバッタモドキなどがいます。夏ではなく、すずしい秋に行きましょう。

- **東京から車で2時間**

里美牧場（茨城県）

難易度 ★★☆

昆虫 ミドリシジミ類、ヒョウモンチョウ類、クワガタムシなど　**時期** 7月

カシワ林があり、そこでミドリシジミ類やヒョウモンチョウ類が観察できます。また、牧場付近ではウシなどのふんからセンチコガネなどが見られます。

- **水戸駅から車で約1時間30分**

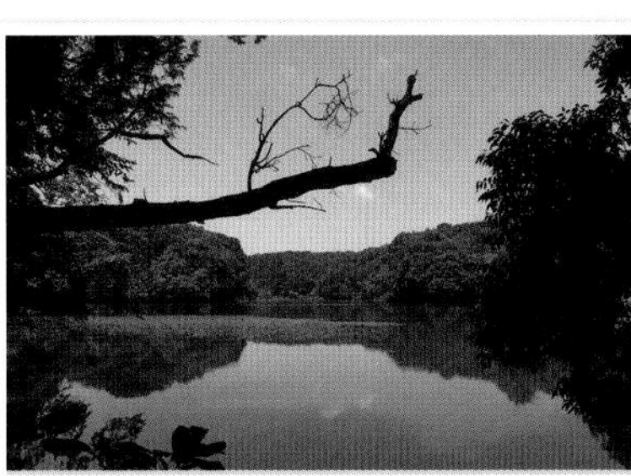

宍塚大池周辺（茨城県）

難易度 ★☆☆

昆虫 ミドリシジミ類、カブトムシ、クワガタムシ類、トンボ類など

時期 6～8月

土浦市の宍塚大池のまわりでは各種のトンボが見られます。また近くの雑木林にはミドリシジミ類やカブトムシ、クワガタムシなどが見られます。

- **土浦駅からバスで20～30分**

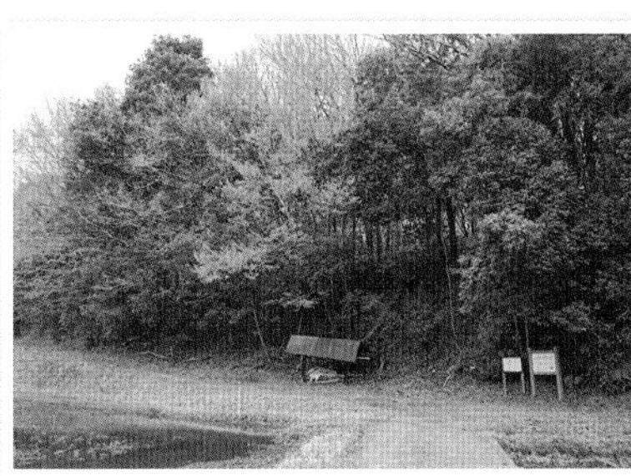

金親町（千葉県）

難易度 ★☆☆

昆虫 カブトムシ、クワガタムシ、トンボ、各種チョウ類など

時期 6～8月

千葉市金親町には貯水池があり、田畑が広がっていて、里山の昆虫が観察できます。この辺ではめずらしく、オオムラサキも生息しています。

- **千葉駅からバスで40～50分**

瀬谷市民の森とその周辺（神奈川県）

難易度 ★☆☆

昆虫 カブトムシ、クワガタムシ、そのほかコウチュウ類など　**時期** 6～8月

横浜の市街地の近くにありながら、周囲に雑木林が広がっていて、コウチュウにとてもいい環境が残っています。新治市民の森なども観察にいい場所です。

- **瀬谷駅から徒歩25分**

関東地方の昆虫が見られる施設

東京を中心とした関東地方には、チョウが見られる温室などがあって、昆虫を生きたまま見ることができる昆虫館や、世界の昆虫の標本を展示している博物館が多くあります。また昆虫展などのイベントも多く開催されていますので、インターネットでさがしてみましょう。

このほかに、千葉県立中央博物館などの博物館があります。また、生きた昆虫が見られる施設として、那須昆虫ワールドがあります。そして、毎年７～９月初旬に「大昆虫展」がソラマチで開かれており、東京大学総合博物館では数年おきに昆虫展が開かれています。

ぐんま昆虫の森

全国的にもユニークな「昆虫」をテーマにした体験型の施設です。敷地に雑木林や田畑、小川などの里山を再現し、そこで暮らす昆虫をじっくり観察できます。昆虫観察館では里山の生きものや世界の昆虫を見ることができ、温室では、生きたチョウを観察できます。

URL http://www.giw.pref.gunma.jp/

住 〒376-0132　群馬県桐生市新里町鶴ヶ谷 460-1　TEL 0277-74-6441

料 大人 410 円 大学生・高校生 210 円 中学生以下無料　開 9：00 ～ 16：00　休 月曜日

国立科学博物館

国立科学博物館は、昆虫だけでなく、哺乳類、鳥類、海生生物、植物などの生き物、鉱物・岩石・化石などの標本も展示しています。昆虫だけを見るのではなく、昆虫からほかの動物へ、また植物へ、そして地球へと興味を広げてくれるところです。

URL https://www.kahaku.go.jp/

住 〒110-8718　東京都台東区上野公園 7-20　TEL 050-5541-8600　料（常設展示）：一般・大学生 630 円 高校生以下無料　開 9：00 ～ 17：00　休 月曜日（月曜日が祝日の場合は火曜日）

ファーブル昆虫館「虫の詩人の館」

「ファーブル昆虫記」を翻訳した奥本大三郎氏が館長をつとめる昆虫館で、ファーブル昆虫記に出てくる昆虫や再現したファーブルの生家を中心に、世界の昆虫を展示しています。またこの昆虫館を運営している日本アンリ・ファーブル会では、昆虫観察会などをおこなっています。

URL http://www.fabre.jp/

住 〒113-0022　東京都文京区千駄木 5-46-6

TEL 03-5815-6464　料 無料　開 13：00 ～ 17：00　開館日：土・日曜日

ミュージアムパーク茨城県自然博物館

この博物館には、広い野外施設があり、季節ごとに様々な昆虫を観察できます。館内では、昆虫はもちろん、ほかの動物、植物の標本や剥製、模型なども展示しています。昆虫好きから科学好きまで、幅広く楽しめる博物館です。

URL https://www.nat.museum.ibk.ed.jp/
住 〒306-0622　茨城県坂東市大崎 700　TEL 0297-38-2000　料 一般 540 円　高校・大学生 340 円　小・中学生 100 円（企画展が開催される場合、それぞれ 750 円、460 円、150 円）
開 9：30 〜 17：00　休 月曜日（祝日の場合は翌日以降）

足立区生物園

昆虫から哺乳類まで 500 種以上の生きものを飼育する生物園です。常時 500 匹以上の多様なチョウが観察できる「大温室」、里山の昆虫のくらしがわかる「昆虫ドーム」などの常設展示のほか、カブトムシやゴキブリなどの企画展示エリア「むしむしコーナー」などがあります。

URL https://seibutuen.jp/　住 〒121-0064　東京都足立区保木間 2-17-1
TEL 03-3884-5577　料 一般 750 円、高校・大学生 460 円、小・中学生 150 円（企画展開催時）
開 9：00 〜 17：00　休 月曜日（祝日の場合は翌日以降）

栃木県立博物館

この博物館は歴史や地学の展示もさることながら、生き物の展示も充実しており、里山にいる生き物を中心に展示しています。里山と人間の生活には密接な関係があり、そのなかで昆虫などの生き物がどのようにくらしているかがわかる展示になっています。

URL http://www.muse.pref.tochigi.lg.jp/　住 〒320-0865　栃木県宇都宮市睦町 2-2
TEL 028-634-131　料 一般 260 円　高校・大学生 120 円　中学生以下無料　開 9：30 〜 17：00
休 月曜日（祝日を除く）、祝日の翌平日

多摩六都科学館

世界最大級のプラネタリウムドームと５つの展示室がある体験型科学館です。北多摩地域の自然環境を紹介している展示室「自然の部屋」でチョウやトンボをはじめ、さまざまな昆虫標本を見ることができます。

URL https://www.tamarokuto.or.jp/
住 〒188-0014　東京都西東京市芝久保町 5-10-64
TEL 042-469-6100　料 大人 520 円 小人（4 歳〜高校生）210 円 ※プラネタリウム・大型映像の観覧は別料金　開 9：30 〜 17：00　休 月曜日（祝休日の場合は翌日）、年末年始

家の近くでさがそう

家の近くでも、昆虫を観察することができます。畑や人家の近く、雑木林、草原、川原などの環境によって、すんでいる昆虫がちがってきます。家の近くで昆虫をさがして、観察してから、昆虫を見つけるコツ、環境によってすんでいる昆虫のちがいをわかるようになりましょう。それから虫旅に出ると、昆虫がよく見つかるようになります。

人家・畑

人家にはいろいろな木を植えていて、また花も植えていることが多いので、昆虫が多くいます。また畑の作物を食べる昆虫やあぜの植物を食べる昆虫もいます。

モンシロチョウ／シロチョウ科
時期 3～11月
キャベツ畑にいます。

アオドウガネ／コガネムシ科
時期 5～10月
庭の木の葉をかじります。

ナガメ／カメムシ科
時期 4～10月
畑にいます。

ヤマトシジミ／シジミチョウ科
時期 3～11月
庭の小さな花にきます。

イチモンジセセリ／セセリチョウ科
時期 5～10月
秋に集団で花にきていることがあります。

ナミアゲハ／アゲハチョウ科
時期 3～11月
ミカンの木にきます。

雑木林

雑木林には、カブトムシ、クワガタムシだけでなく、チョウやカナブン、オサムシなどが見られます。下草を刈るなど、よく手入れをしている雑木林ほど昆虫は多くいます。林の中だけでなく、林の縁でも観察しましょう。

ミズイロオナガシジミ / シジミチョウ科
時期 6～8月
花にくることがあります。

サトキマダラヒカゲ / タテハチョウ科
時期 5～8月
樹液にもきます。

カブトムシ / コガネムシ科
時期 6～9月
樹液にきます。

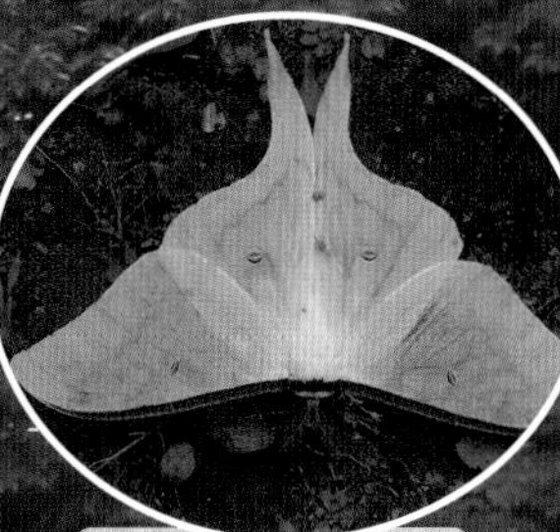

オオミズアオ / ヤママユガ科
時期 4～8月
あかりにきます。

ニイニイゼミ / セミ科
時期 6～8月
公園にもいます。

ノコギリクワガタ / クワガタムシ科
時期 6～9月
樹液にきます。

ヤマトタマムシ / タマムシ科
時期 7～8月
枯れ木にきます。

アオオサムシ / オサムシ科
時期 4～11月
東日本の昆虫です。

家の近くでさがそう

草原・草むら

草原や草むらで昆虫をさがすのはむずかしいですが、花をひとつひとつ見ながらさがすと、けっこういろいろな昆虫が見つかります。チョウが目立ちますが、コウチュウなどもよく花にきています。バッタやコオロギのなかまもいます。

ナナホシテントウ／テントウムシ科

時期 3～11月
アブラムシを食べます。

ツバメシジミ／シジミチョウ科

時期 3～10月
地面をはうように飛びます。

モンキチョウ／シロチョウ科

時期 4～11月
花によくきます。

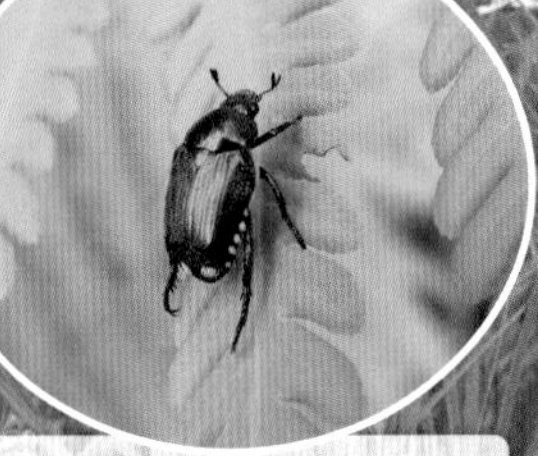

マメコガネ／コガネムシ科

時期 6～10月
畑にいることがあります。

ジャノメチョウ／タテハチョウ科

時期 6～9月
花によくきます。

ラミーカミキリ／カミキリムシ科

時期 5～8月
カラムシの近くにいます。

モモブトカミキリモドキ／カミキリモドキ科

時期 4～6月
さわるとかぶれます。

コアオハナムグリ／コガネムシ科

時期 5～10月
花によくきます。

川原

川原には少し湿った草むらがあり、そのような草むらが好きな昆虫が見られます。また、川の流れの緩急により、トンボの種類がちがってきたり、トビケラなどの幼虫が水の中ですごす昆虫が見られたりします。

ジャコウアゲハ／アゲハチョウ科

時期 4～10月
堤防によくいます。

ベニシジミ／シジミチョウ科

時期 3～11月
花によくきます。

ハグロトンボ／カワトンボ科

時期 5～10月
夏に多くなります。

オオシマトビケラ／シマトビケラ科

時期 5～9月
幼虫は皮の中ですごします。

ゴマダラカミキリ／カミキリムシ科

時期 6～8月
川原のヤナギの木にいます。

コムラサキ／タテハチョウ科

時期 4～10月
川原のヤナギの木にいます。

ヒメアカタテハ／タテハチョウ科

時期 4～11月
草むらにいます。

マツムシ／マツムシ科

時期 8～10月
川原の草むらにいます。

食べあとからさがそう

昆虫をさがすとき、葉や花を食べる昆虫では、食べあとを見てからさがすと、はやく見つかります。

種類によっては、ほかの昆虫では見られないような、変わった食べあとを残すものもいます。

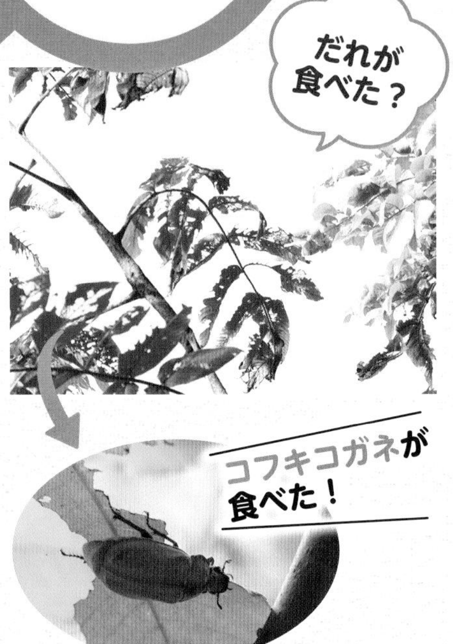

だれが食べた？
コフキコガネが食べた！

コフキコガネ / コガネムシ科

時期 6～8月　いるところ 林など

クヌギやクルミなどの葉を食べます。夜にあかりにきます。

だれが食べた？
コフキゾウムシが食べた！

コフキゾウムシ / ゾウムシ科

時期 4～7月　いるところ クズの葉

クズの葉を縁から中心に向かって、食べていきます。5mm くらいの昆虫です。

だれが食べた？

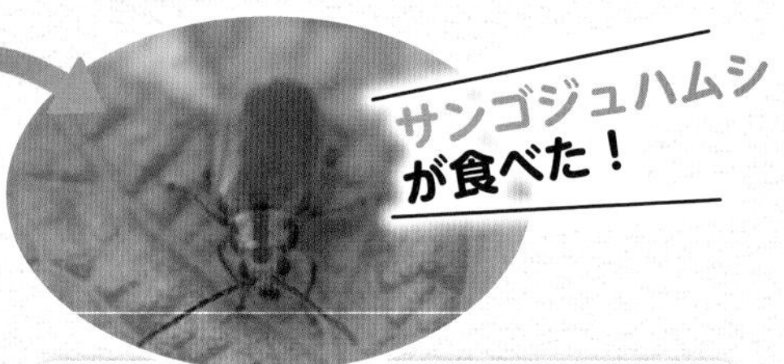

サンゴジュハムシが食べた！

サンゴジュハムシ / ハムシ科

時期 7～11月　いるところ 林など

葉の中からすじをえがいて食べていきます。幼虫も同じ木を食べます。

中部地方

太平洋側、日本海側、内陸でちがう気候

中部地方の太平洋側は、黒潮の影響で温暖な気候です。日本海側も対馬海流で温暖ですが、冬に雪が多くつもり、ブナ林が広がって、ギフチョウなどのブナ林の昆虫が見られます。内陸はすずしく、雨も雪もあまりふらず、乾燥して草原が広がり、草原性の昆虫が見られます。また高い山では高山性の昆虫が見られます。

観光しながら昆虫を楽しめる内陸部

山梨県、長野県、岐阜県北東部は、景色が素晴らしいところです。その景色を見ながら昆虫観察を楽しめます。日本海側は雄大なブナ林で昆虫観察ができます。

かんたんにギフチョウが観察できる！

弥彦山

難易度 ★☆☆

鳥居をくぐると、そこにギフチョウが乱舞

新潟県中部の日本海に近いところに弥彦山があります。この山はギフチョウが多いことで有名です。愛好家の人が多いですが、その人たちがあまりこないところでもギフチョウを観察することができます。日本の春らしい光景のひとつです。

時期は 4 月中旬

サクラの開花時期とほぼ同じです。

弥彦山までの時間

東京から車で約 4 時間 30 分
新潟駅から JR で約 1 時間 30 分

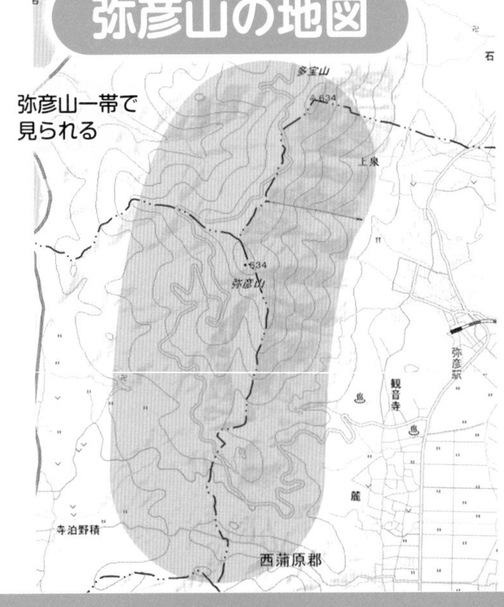

春のチョウをさがそう

弥彦山一帯は雑木林が広がっています。弥彦神社のうらからギフチョウはいますが、山頂付近の尾根を歩くと、下からのぼってきた多くのギフチョウにあうことができます。

ギフチョウだけでなく、春だけに見られるチョウもたくさんいます。春の景色を楽しみながら、昆虫観察をしましょう。

ギフチョウ／アゲハチョウ科

時期 4月

本州だけにいます。ところによっては3月末、または5月に見られます。北陸地方では、いたるところの雑木林で見られます。

コツバメ／シジミチョウ科

時期 4月

雑木林の中などで見られます。

ミヤマセセリ／セセリチョウ科

時期 3～4月

雑木林の中などで見られます。

ツマキチョウ／シロチョウ科

時期 3～5月

低地でも見られます。

富士山を間近に見ながら、チョウを観察できる

富士山北麓

難易度 ★★☆

富士山のふもとには、草原が広がっています。草原の中には、カシワの木も生えています。草原の道を歩きながら昆虫をさがしてみましょう。またカシワの林にはミドリシジミ類やジャノメチョウ類もいます。

草原の中に入ると、富士山の溶岩がかたまるときにできた、深い穴がある場合があるので、道だけを歩くようにしましょう。

河口湖周辺までの時間
東京から車で約２時間

ムモンアカシジミ／シジミチョウ科
時期 ８月
いるところ カシワの林

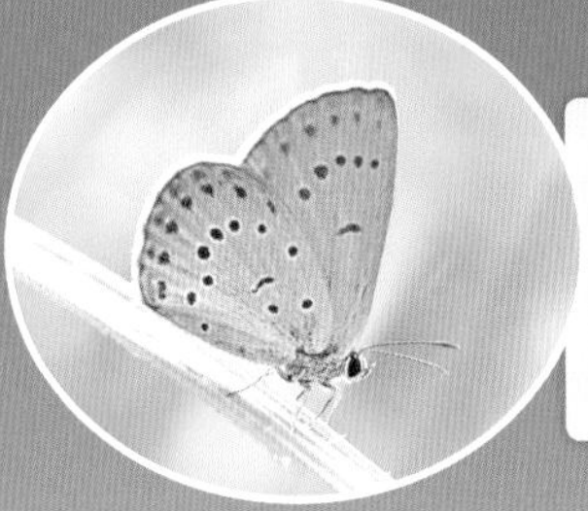

ゴマシジミ／シジミチョウ科
時期 ８月
いるところ 草原
※採集禁止です

ハヤシミドリシジミ／シジミチョウ科
時期 ７～８月
いるところ カシワの林

ヒメシロチョウ／シロチョウ科
時期 ５～８月
いるところ 草原

ウラギンスジヒョウモン／タテハチョウ科
時期 ８月 いるところ 草原

富士山北麓の地図

草原で色々な昆虫が見られる。

山際で昆虫を観察できる。

別荘地の奥から林道があり、昆虫を観察できる。

湖の山際で昆虫を観察できる。

富士吉田市外二ヶ村恩賜県有財産保護組合

庭園やバーベキューハウスなどがあり、富士山の魅力を満喫できます。

キマダラモドキ / タテハチョウ科

時期　7～8月

いるところ　草原、林

ヨモギハムシの1種 / ハムシ科

時期　4～11月

いるところ　草原

ヤマキチョウ / シロチョウ科

時期　8月　いるところ　林の縁

車で峠まで行って、昆虫を観察できる

大菩薩峠周辺

難易度 ★★☆

標高 1897m まで一気に車で上がれる

大菩薩峠は車でのぼれる峠です。すそ野にはブナ林などが広がり、ヒメオオクワガタなどのブナ林にいるクワガタムシが見られます。

峠付近は採集禁止ですが、すそ野のブナ林などでは、ミドリシジミ類などの昆虫を観察することができます。また、大菩薩湖周辺や林道にはナラなどの広葉樹の林が広がり、クワガタムシやチョウ類が観察できます。

時期は 7 ～ 8 月

5 月に見られるルリクワガタ類もいますが、7 ～ 8 月に昆虫は多くなります。

泊まってみよう！

ペンションすずらん

ペンションすずらんは、昆虫にくわしい方が経営しており、大菩薩のふもとにあります。観察したい昆虫をいえば、教えてくれるかもしれません。ライトトラップ（灯火採集）の道具も貸し出してくれます。またペンションには「すずらん昆虫館」があり、世界の昆虫の標本を展示しています。

URL https://p-suzuran.com/
住 〒409-1121　山梨県甲州市塩山上萩原 4784
TEL 0553-48-2315
※ペンションすずらんで、昼食を食べることができます。

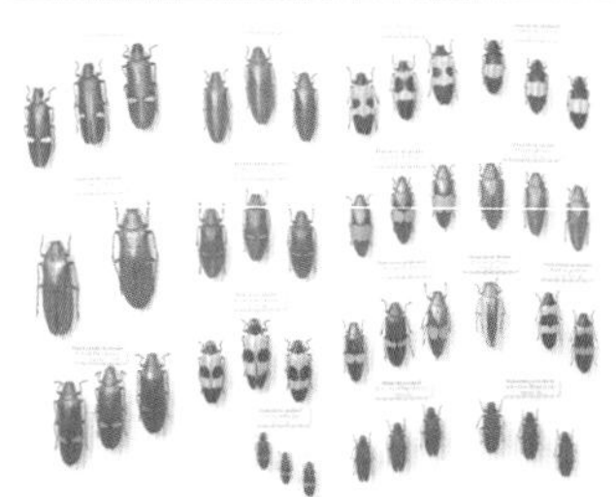

すずらん昆虫館では、20 か国以上の国の昆虫を見ることができます。

大菩薩峠周辺の地図

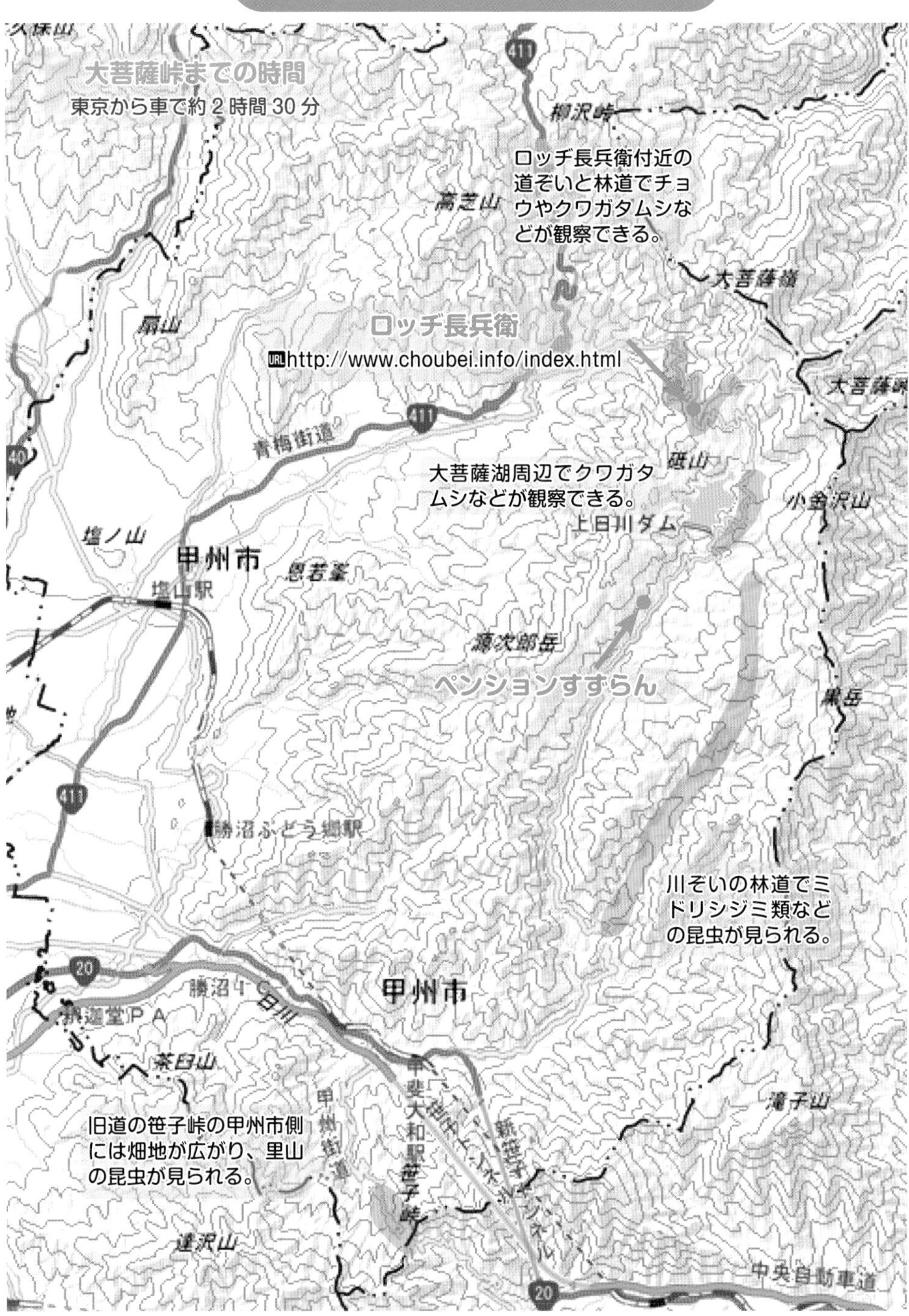
大菩薩峠までの時間
東京から車で約2時間30分
ロッチ長兵衛付近の道ぞいと林道でチョウやクワガタムシなどが観察できる。
ロッヂ長兵衛
http://www.choubei.info/index.html
大菩薩湖周辺でクワガタムシなどが観察できる。
ペンションすずらん
川ぞいの林道でミドリシジミ類などの昆虫が見られる。
旧道の笹子峠の甲州市側には畑地が広がり、里山の昆虫が見られる。
柳沢峠
高芝山
大菩薩嶺
大菩薩峠
扇山
青梅街道
砥山
小金沢山
上日川ダム
塩ノ山
甲州市
恩若峯
塩山駅
源次郎岳
黒岳
勝沼ぶどう郷駅
勝沼IC
日川
甲州市
釈迦堂PA
茶臼山
甲州街道
甲斐大和駅
笹子峠
新笹子トンネル
滝子山
中央自動車道
411
20
411
20

登山道でさがそう

山頂にむかう登山道にはブナ林があり、オニクワガタやヒメオオクワガタなどのブナ林にすむ昆虫が見られます。また高いところが好きなヒメキマダラヒカゲなども見られます。

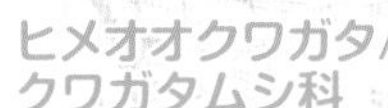

ヒメオオクワガタ/クワガタムシ科
時期　7～9月
いるところ　ブナ林
樹液にはきません。

ヒメキマダラヒカゲ/タテハチョウ科
時期　5～9月
いるところ　ササやぶ
ブナ林にもいます。

キベリタテハ/タテハチョウ科
時期　8～9月
いるところ　林の縁
峠に飛んできます。

オニクワガタ/クワガタムシ科
時期　8～9月
いるところ　ブナの幹
樹液にはきません。

ヨツスジハナカミキリ/カミキリムシ科
時期　6～8月
いるところ　林の花
花には多くのカミキリムシが見られます。

ライトトラップを楽しもう

ペンションすずらんでは、宿泊客や食道の利用者で希望の人には、有料でライトトラップの道具を貸してくれます。

ライトトラップの設定は別料金で、ペンションの人がそろえているので、気軽にライトトラップが楽しめます。ライトトラップには、ガやクワガタムシなど、いろいろな昆虫が集まります。

ノンネマイマイ／ドクガ科
時期 7～8月
いるところ 草原
毒はありません。

ミヤマクワガタ／クワガタムシ科
時期 7～8月
いるところ 林
ライトによくきます。

林道でさがそう

林道やダムぞいにはナラなどの広葉樹の林が広がっていて、ミドリシジミ類やクワガタムシ、カミキリムシなどが多くいます。林道を散策しながら昆虫を楽しみましょう。

メスアカミドリシジミ／シジミチョウ科
時期 6～7月 いるところ 林
午前中によく飛びます。

ゴマフカミキリ／カミキリムシウ科
時期 5～7月 いるところ 林など
枯れ木に集まります。

オオムラサキもクワガタムシも満喫できる！

長坂周辺

難易度 ★☆☆

八ヶ岳のふもとに広がる里山

長坂周辺には雑木林が広がっています。そこにはカブトムシ、クワガタムシやオオムラサキなどがいます。樹液がある場所に集まるので、さがしてみましょう。

時期は６月下旬～８月上旬

チョウなどでは、おそくなると見ることができなくなるものがいます。８月になると、昆虫がかなり少なくなります。

行ってみよう！

北杜市オオムラサキセンター

北杜市の長坂地区はオオムラサキで町おこしをおこなっていました。そのときに建てられたのが「オオムラサキセンター」です。

館内には本館・森林科学館・生態観察施設「びばりうむ 長坂」の３つの施設からなり、施設の周囲に約 6ha のオオムラサキ自然公園が広がっています。また、オオムラサキだけではなく、ホタル、トンボなども観察することができます。

昔から人間が利用してきた里山と昆虫の関係がわかるような、いろいろな展示があります。

URL http://oomurasaki.net/
住 〒408-0024　山梨県北杜市長坂町富岡 2812
TEL 0551-32-6648
料 高校生以上 420 円　小・中学生 200 円
開 9：00～16：00　休 月曜日

館内では生きたオオムラサキが見られます。また、オオムラサキの一生の展示もあります。

長坂周辺の地図

色でぬっていないところでも、雑木林や草むらで、思わぬ発見があります。この辺りはオオクワガタが多くいたところです。こまめにまわってみましょう。

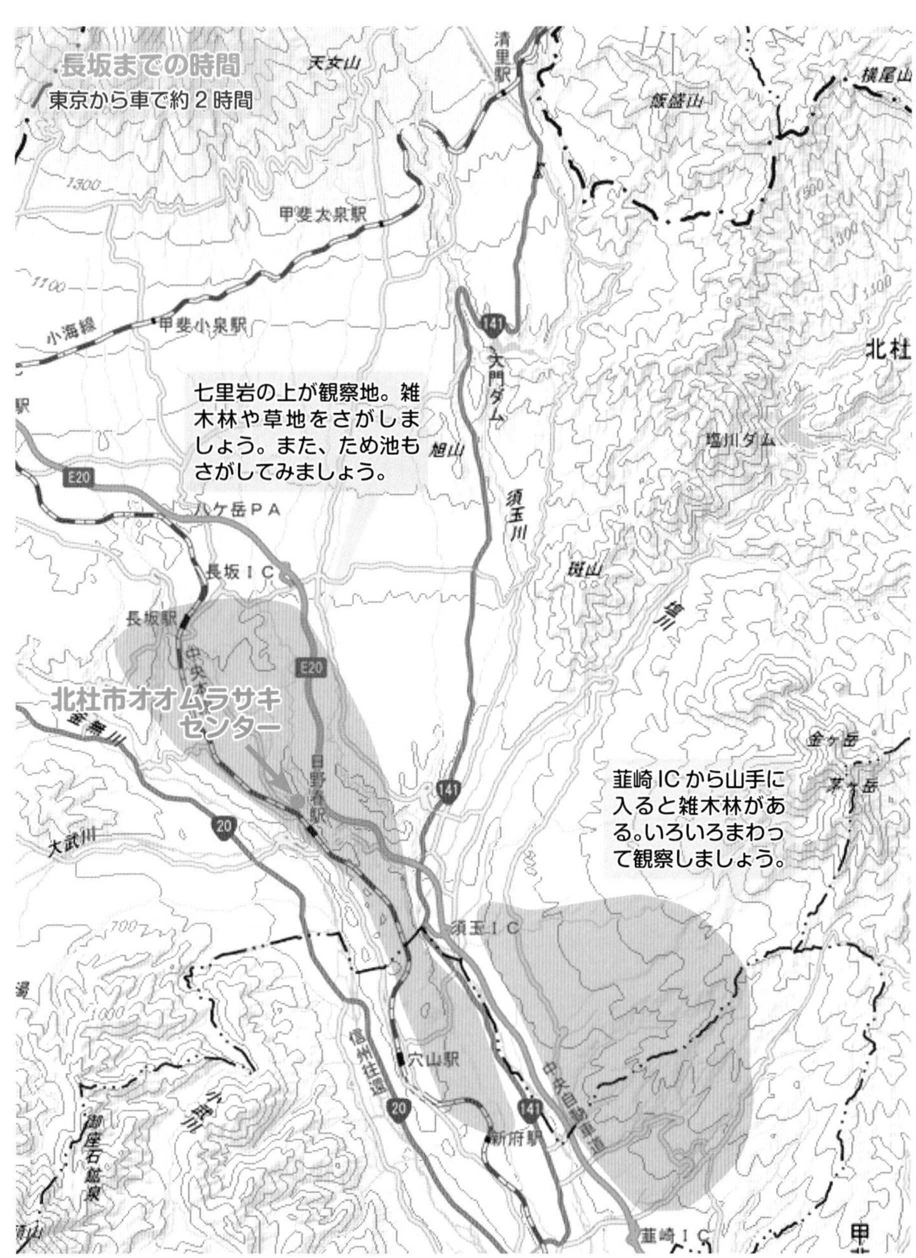

雑木林でさがそう

雑木林にはクヌギやコナラが生えています。林の中でルリボシカミキリが飛ぶすがたが見られることがあります。カナブンなどの昆虫が飛ぶ周辺を注意して見ると、樹液が流れている木が見つかり、オオムラサキを観察することができます。また夜にその樹液にくると、カブトムシやクワガタムシを観察することができます。

ノコギリクワガタ / クワガタムシ科

時期　6～8月　いるところ　雑木林

樹液にきます。夜、あかりに飛んできます。

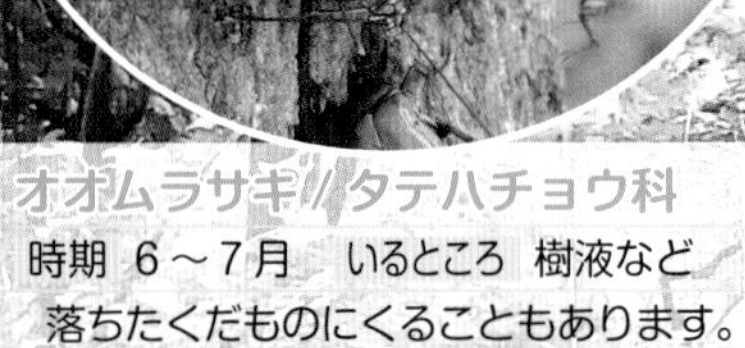

オオムラサキ / タテハチョウ科

時期　6～7月　いるところ　樹液など

落ちたくだものにくることもあります。

カブトムシ / コガネムシ科

時期　6～8月　いるところ　雑木林

多くは夜活動しますが、昼に樹液にいることもあります。

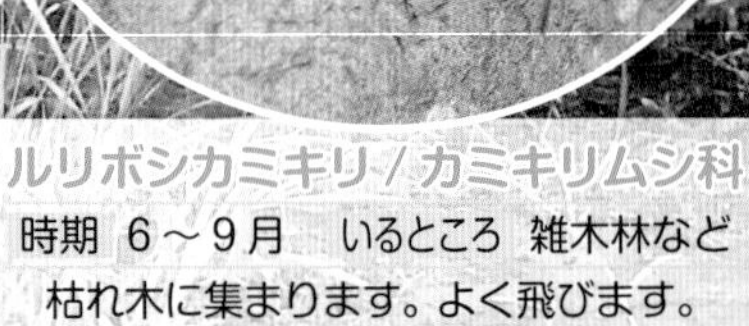

ルリボシカミキリ / カミキリムシ科

時期　6～9月　いるところ　雑木林など

枯れ木に集まります。よく飛びます。

草むらでさがそう

雑木林の縁や、林道の横の草むらにも注意しましょう。ヒメジョオンの花などに、ハナムグリ類などのコウチュウがとまっていることがあります。また木にさく白い花には、カミキリムシなどのいろいろな昆虫がきます。

アシナガコガネのなかま / コガネムシ科
時期 4～7月　いるところ 林の縁など
よく白い花にきます。

ヒメキマダラセセリ / セセリチョウ科
時期 5～9月　いるところ 草むらなど
葉の上に止まります。

水生昆虫をさがそう

長坂付近にはため池があります。立ち入り禁止のところが多くありますが、なかには浅くて安全なため池もあります。それらのため池でたも網ですくってみましょう。ゲンゴロウ類が観察できることがあります。

ガムシ / ガムシ科
時期 通年　いるところ ため池など
泳ぎはへたです。

ミズカマキリ / タイコウチ科
時期 5～10月
いるところ ため池など
水草が集まったところによくいます。

雪が残る峠道でクワガタムシを観察しよう！

飯山周辺

難易度
★★★

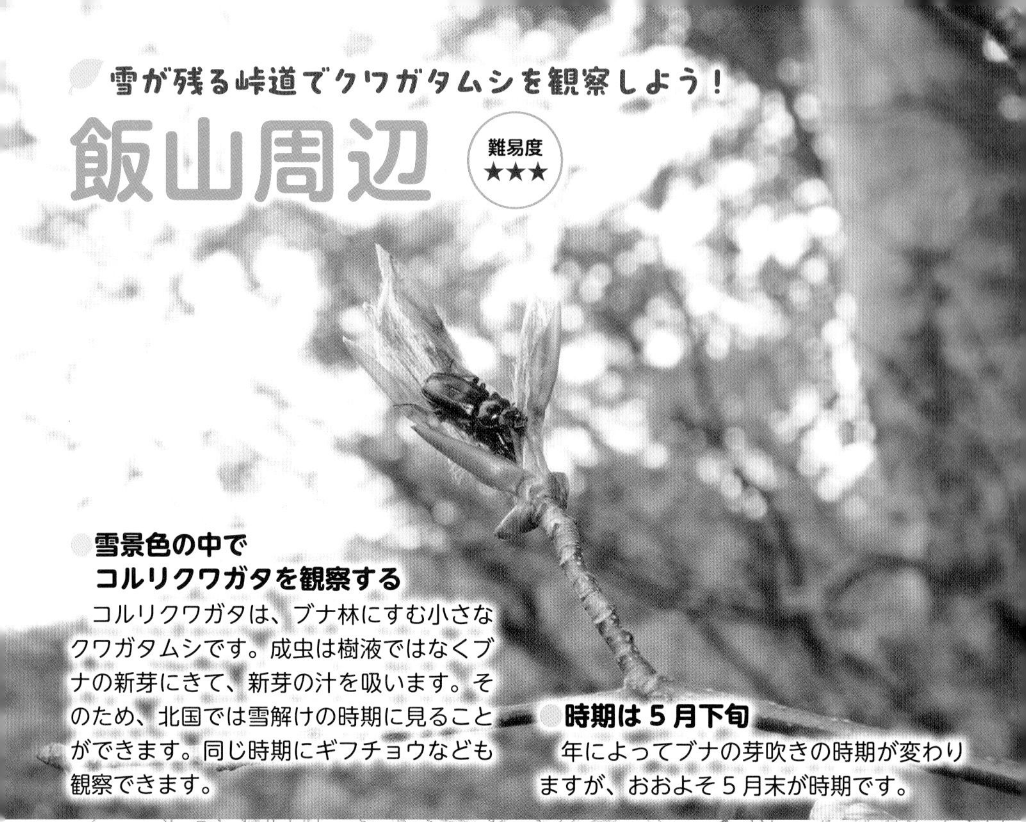

雪景色の中でコルリクワガタを観察する

コルリクワガタは、ブナ林にすむ小さなクワガタムシです。成虫は樹液ではなくブナの新芽にきて、新芽の汁を吸います。そのため、北国では雪解けの時期に見ることができます。同じ時期にギフチョウなども観察できます。

時期は５月下旬

年によってブナの芽吹きの時期が変わりますが、おおよそ５月末が時期です。

飯山周辺の地図

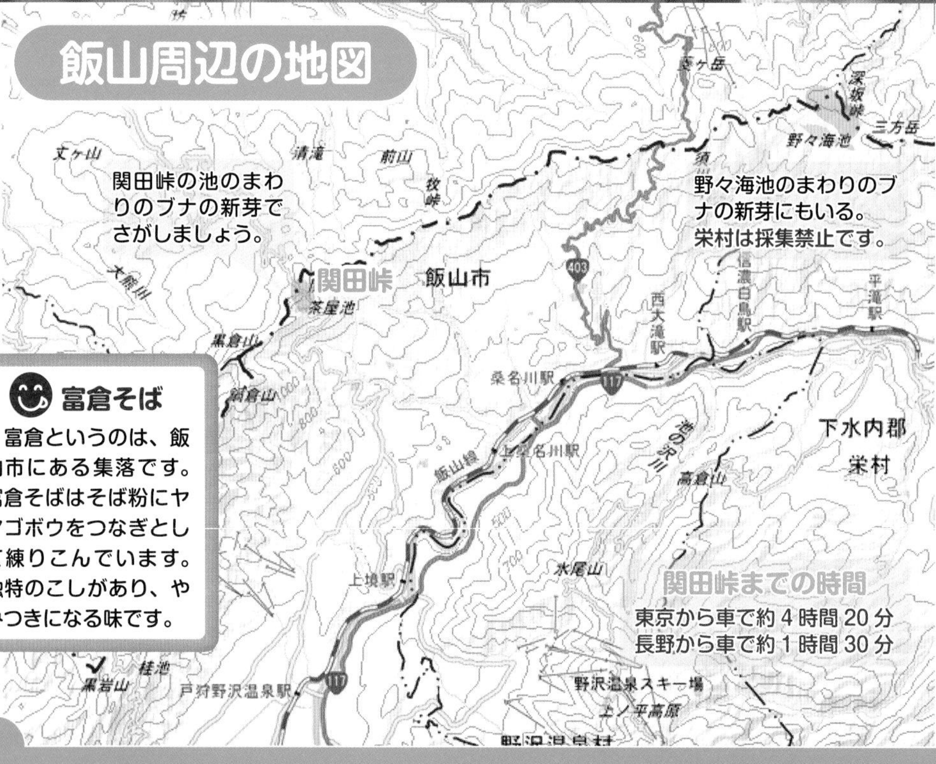

関田峠の池のまわりのブナの新芽でさがしましょう。

野々海池のまわりのブナの新芽にもいる。栄村は採集禁止です。

関田峠　飯山市　茶屋池　深坂峠　野々海池　三方岳　下水内郡　栄村　信濃白鳥駅　西大滝駅　平滝駅　桑名川駅　上桑名川駅　上境駅　戸狩野沢温泉駅　飯山線　野沢温泉スキー場　上ノ平高原　野沢温泉村

関田峠までの時間

東京から車で約４時間 20 分
長野から車で約１時間 30 分

富倉そば

富倉というのは、飯山市にある集落です。富倉そばはそば粉にヤマゴボウをつなぎとして練りこんでいます。独特のこしがあり、やみつきになる味です。

コルリクワガタをさがそう

コルリクワガタのなかまは本州以南のブナ林にいますが、多くの生息地では高いところのブナの新芽にくるため、観察することがむずかしい昆虫です。しかし、飯山市周辺では、低いところにブナの新芽が多いので、楽にコルリクワガタを観察することができます。写真のような、雪のあるところにクワガタムシがいる、不思議な光景です。

1 低いブナの木を見つけましょう。

2 低いブナの木を見つけたら、ブナの新芽をさがしましょう。

ブナの新芽

3 ブナの新芽をていねいに見ていくと、小さなコウチュウがはっているのが見つかります。

4 これがコルリクワガタです。小さいですが大あごがあります。

コルリクワガタのいるところには、ギフチョウもいます。

トンネルをぬけると、そこは夢のような自然

上高地周辺

難易度
★★★

夏でも春のような風景

上高地は亜高山と高山の環境で、とても景色がよく、人が多く訪れるところです。昆虫は亜高山や高山にすむものが多く、入り口にあたる河童橋の周辺から、「高山チョウ」といわれているチョウを見ることができます。

岳沢、奥又白谷、涸沢などの登山道をのぼると草が生えているところがあり、そこで発生するチョウを見ることができるので、時間があれば、歩いてみましょう。

さらに、蝶ヶ岳や常念岳などにのぼると、タカネヒカゲやミヤマモンキチョウを観察することができます。

日帰りでも楽しめますが、せっかくなので、テントを張って、ゆっくりと昆虫を観察したいところです。

時期は７月

昆虫によっては６月から出ますが、７月の方が昆虫をより観察できます。

※上高地をふくむ飛彈山脈の主要なところは国立公園で、採集禁止です。絶対に採集しないでください。

上高地周辺の地図

上高地周辺は国立公園の特別保護地域になっており、登山道や遊歩道以外のところは立ち入り禁止です。また、昆虫や植物の採集も禁止されています。

登山道の草つきでさがそう

沢ぞいの登山道をのぼると「草つき」を見ることができます。「草つき」とは、斜面にイネ科やカヤツリソウ科などの草が生えているところです。そのようなところには、タカネキマダラセセリやクモマツマキチョウなどを観察することができます。また、沢ぞいにオオイチモンジがおりてくることもあります。**採集禁止**の区域です。

クモマツマキチョウ / シロチョウ科
時期 5～7月　いるところ 草つきなど

タカネキマダラセセリ / セセリチョウ科
時期 7月　いるところ 草つき

オオイチモンジ / タテハチョウ科
時期 6～8月　いるところ 林の縁など
遊歩道にもいます。

ジョウザンヒトリ / ヒトリガ科
時期 6～7月
いるところ 草つきなど
夜活動しますが、昼間に飛ぶこともあります。

山頂付近でさがそう

飛弾山脈(北アルプス)の山頂付近は岩がごろごろしたところ(ガレ場)があり、そこにだけすむ高山チョウと高山蛾がいます。登山するのは大変ですが、そこで観察する高山チョウの美しさは、とてもきれいです。**採集禁止**の区域です。

ミヤマモンキチョウ / シロチョウ科
時期 7～8月　いるところ ハイマツ林

タカネヒカゲ / タテハチョウ科
時期 7～8月　いるところ ガレ場
飛んでいるときはとてもきれいです。

松本市の梓川の河川敷にいってみよう！

松本市の平瀬から倭橋(やまとばし)周辺の河川敷では、ミヤマシジミやクロツバメシジミなどが見られます。

ミヤマシジミ

クロツバメシジミ

川・池・湿原でさがしてみよう

川原や渓流、池、湿原・湿地で昆虫を観察できます。
池の中はゲンゴロウ類などの水生昆虫が観察できます。たも網ですくってみて、観察しましょう。また湿原・湿地では、ハッチョウトンボなど、そこだけしか見られない昆虫がいます。

川

川原はまとまった草むらができます。またヤナギなどの木もよく生えます。そのようなところでは、草原性の昆虫が見られます。また、カワゲラ、トンボなど、幼虫が川の中でくらす昆虫も見られます。

ギンイチモンジセセリ

ミヤマシジミ

ゴマダラカミキリ

池

池のまわりには、いろいろなトンボ類を見ることができます。また、池の中にはゲンゴロウ類やガムシ、タイコウチなどの水生カメムシがすんでいます。

ウチワヤンマ

ガムシ

ミズカマキリ

湿原・湿地

湿原・湿地にはスゲ類が生えており、それを食べるネクイハムシ類やヒメヒカゲ（中部・近畿・中国地方の一部）が観察できます。また、ハッチョウトンボなども見られ、池には水生昆虫がいます。まわりの林も昆虫が観察できます。

ネクイハムシのなかま（スゲハムシ）

ハッチョウトンボ

ヒメヒカゲ

がけがあったら見てみよう！

がけには植物があまり生えていませんが、がけに多く見られる植物もあります。それらの植物を食べるチョウが見られます。またゴミムシなどをよく見ることができるので、がけがあったらみてみましょう。

クロツバメシジミ

高山帯近くまでバスで行ける

乗鞍岳周辺

高山にバスで一気に行ける乗鞍高原

乗鞍高原は、山頂のお花畑付近までバスで行くことができます。そこから登山することなく、お花畑やハイマツの林まで歩いていくことができ、高山チョウや高山ガを観察することができます。

時期は7～8月上旬

飛弾山脈（北アルプス）よりも高山の昆虫は少ないですが、ベニヒカゲなどを観察することができます。またふもとの旧・安房峠などで昆虫を観察できます。

なお、乗鞍岳周辺は採集禁止です。

行ってみよう！

乗鞍自然保護センター

乗鞍自然保護センターは、乗鞍岳の自然が展示されています。乗鞍高原にいるトンボも展示されています（11～4月は閉館）。

料 無料、P 無料
開 9：00～17：00（水曜日休）
TEL 0263-93-2045

乗鞍岳周辺の地図

乗鞍高原まできたら、せっかくなので、いろいろな環境のところをまわってみましょう。ふもとはミドリシジミ類がいて、昆虫が多いところです。

高い草原でさがそう

乗鞍岳にはお花畑が広がっています。飛彈山脈にいるタカネキマダラセセリなどはいませんが、ベニヒカゲやコヒオドシなどが見られます。また湿原（高層湿原）があり、高山性のトンボを観察することができます。

ベニヒカゲ / タテハチョウ科
時期 8月　いるところ お花畑など
よく花にきます。採集禁止です。

コヒオドシ / タテハチョウ科
時期 7～9月　いるところ 草つきなど
活発に飛びます。採集禁止です。

ルリイトトンボ / イトトンボ科
時期 5月下旬～7月　いるところ 池や湿地
高いところの池にいます。

ヒメキシタヒトリ / ヒトリガ科
時期 7月　いるところ 草つきなど
高山にいます。※写真は北海道産です。

林道でさがそう

白骨温泉などの乗鞍高原のふもとには、カンバやポプラなどの林が広がり、昆虫が多くいます。車で林道を注意して走っていくと、いろいろな昆虫を見ることができます。

オオイチモンジ / タテハチョウ科
時期 6～7月　いるところ 林の縁など
地上におりることがあります。採集禁止です。

カラスシジミ / シジミチョウ科
時期 6～7月　いるところ 林の縁など
白い花によくきます。

草原でさがそう

乗鞍高原のふもとには、林だけでなく、草原もあります。ちょっとした草原でも、いろいろな昆虫が見られます。花がさいていたら、見てみましょう。

ギンボシヒョウモン / タテハチョウ科
時期 7～8月
いるところ 草原
高いところの草原にいます。

ミヤマコヒゲナガ / ヒゲナガガ科
時期 7～8月
いるところ 林の縁など
金色に光ります。

夏休みをすずしくすごそう

八ヶ岳周辺

難易度 ★☆☆

すずしい高原で昆虫観察

八ヶ岳のふもとの原村、茅野市などの高原には自然がたくさん残り、夏でもすずしくすごせます。夏休みのはじめのころは、楽しくすずしい昆虫観察が楽しめます。

時期は７～８月

５月の連休前後はヒメギフチョウが見られるところがありますが、昆虫観察にいいのは、やはり夏です。

ここに泊まろう！

ペンションファーブル

ペンションファーブルのオーナーは、虫好きで有名な方です。ペンションの前にも昆虫が多くいます。ここに泊まると、近くのいい観察ポイントを教えてくれます。また、２泊３日の「親子で虫ざんまい」、「夜間の樹液回り」、通常の「昆虫ガイド」の昆虫観察オプションがあります。昆虫好きにはおすすめです。**昆虫観察オプション代金はお問い合わせください。**

住 〒391-0014　長野県諏訪郡原村 17217-1653
第二ペンションヴィレッジ
TEL 0266-75-3462（山本）

ペンションファーブルは、送迎サービスがあります。送迎の可・不可の日がありますので、問い合わせてみましょう。

八ヶ岳周辺の地図

八ヶ岳のふもとの昆虫観察は、こまめに草地や林をまわる必要があります。それでもペンションのわきの草地や林などでも昆虫観察を楽しむことができます。ちょっとした土手などでも思わぬ昆虫がいることがあります。

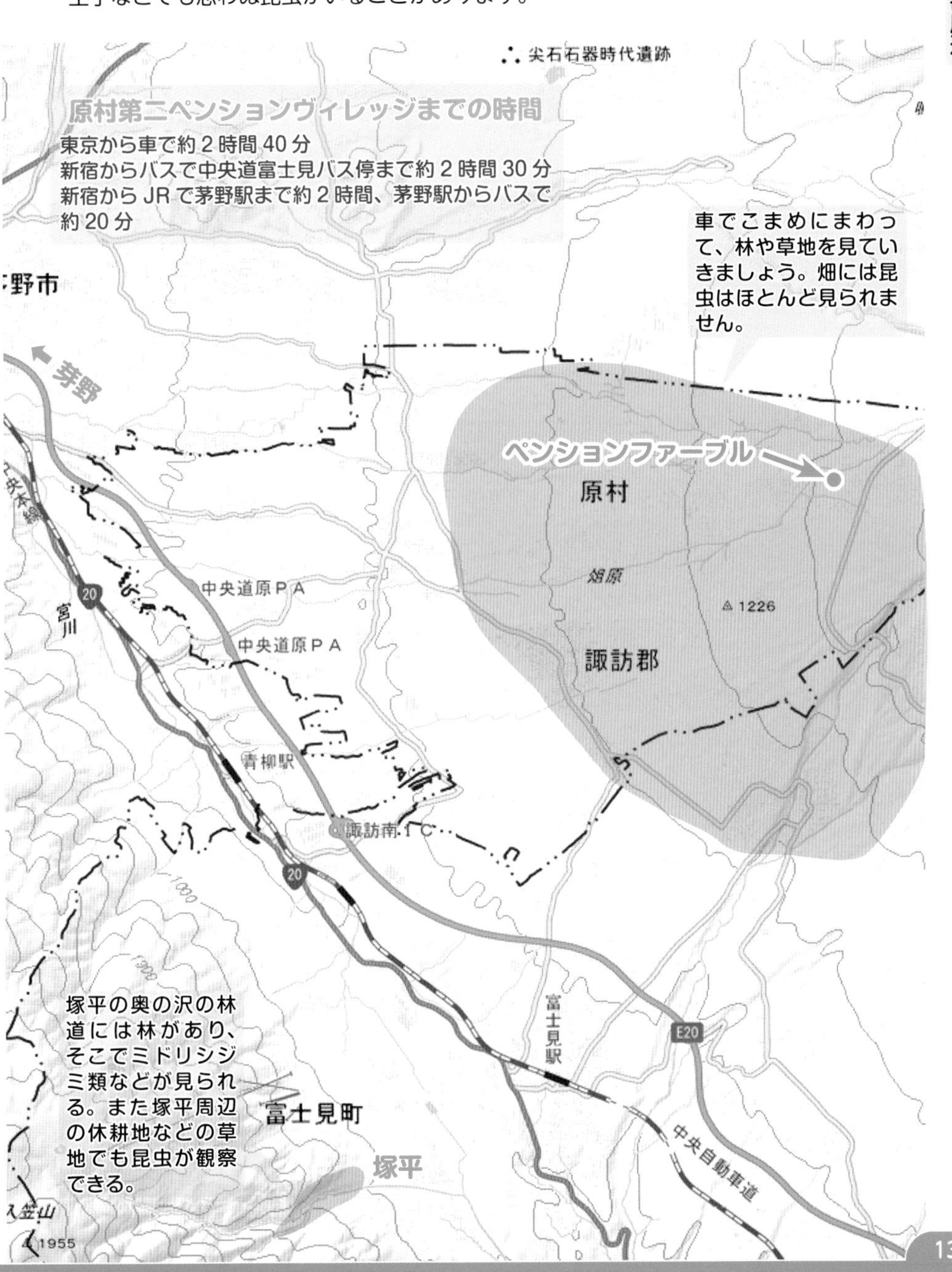
尖石石器時代遺跡
原村第二ペンションヴィレッジまでの時間
東京から車で約 2 時間 40 分
新宿からバスで中央道富士見バス停まで約 2 時間 30 分
新宿から JR で茅野駅まで約 2 時間、茅野駅からバスで約 20 分
車でこまめにまわって、林や草地を見ていきましょう。畑には昆虫はほとんど見られません。
野市
← 茅野
ペンションファーブル
原村
畑原
1226
諏訪郡
中央本線
20
宮川
中央道原ＰＡ
中央道原ＰＡ
青柳駅
諏訪南ＩＣ
20
1000
富士見駅
E20
塚平の奥の沢の林道には林があり、そこでミドリシジミ類などが見られる。また塚平周辺の休耕地などの草地でも昆虫が観察できる。
富士見町
塚平
中央自動車道
入笠山
1955

草地でさがそう

八ヶ岳のふもとには、草地が点在しています。その草地をめぐっていくと、花にいろいろな昆虫がとまっているのを観察できます。ヒメシロチョウは、モンシロチョウに似た感じですが、弱々しく飛びます。高原の草地にしかいないチョウです。

ヒメシロチョウ／シロチョウ科
時期　5～8月
いるところ　草地、草原
弱々しく飛びます。

メスグロヒョウモン／タテハチョウ科
時期　6～10月
いるところ　草地、草原
林に近い草地にいます。

クジャクチョウ／タテハチョウ科
時期　6～9月
いるところ　草原など
花によくきます。

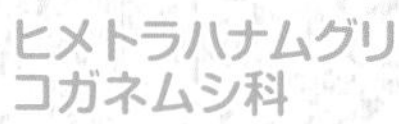

ヒメトラハナムグリ／コガネムシ科
時期　5～8月
いるところ　林の縁など
花によくきます。

林でさがそう

八ヶ岳の高原には、カンバやミズナラなどの林が広がっています。幼虫がミズナラなどを食べるミドリシジミ類が多く、ミヤマクワガタなどのすずしいところが好きなクワガタムシが見られます。またカミキリムシもいます。

ミヤマクワガタ / クワガタムシ科
時期 7～8月　いるところ 林
高いところだと、昼間でも活動します。

アカアシクワガタ / クワガタムシ科
時期 7～9月　いるところ 林
ヤナギの木で観察できます。

ヤマトタマムシ / タマムシ科
時期 7～8月
いるところ 林
切り株などにきます。

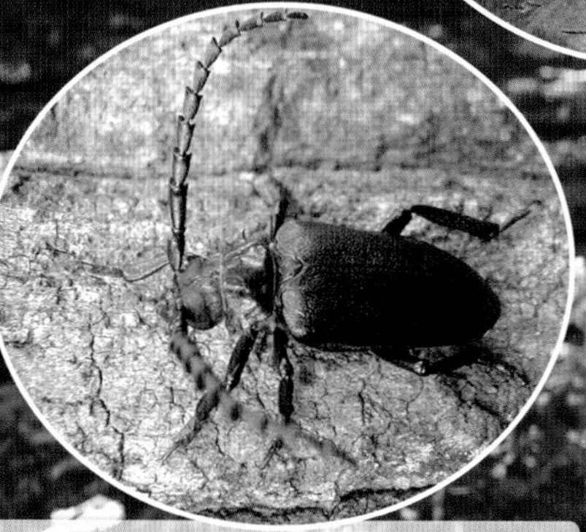

ノコギリカミキリ / カミキリムシ科
時期 5～9月　いるところ 林
あかりにきます。

ムモンアカシジミ / シジミチョウ科
時期 7～8月　いるところ 林
花にきます。

リゾート気分を楽しみながら昆虫を楽しめる

白樺湖～霧ヶ峰周辺

難易度
★★★

景色がきれいで草原が広がる白樺湖周辺

白樺湖から車山高原、池の平周辺には草原が広がり、草原性のヒョウモンチョウ類が見られます。また高いところにあるため、ウラジャノメなどの高いところにすむチョウが見られます。

時期は 7 ～ 8 月上旬

花を見つけると、そこには昆虫がきています。ただシカが多いため、アザミなどの花が食べられて少なくなっています。

ここに泊まろう！

白樺リゾート池の平ホテル

白樺リゾート池の平ホテルのとなりには森の遊園地池の平ファミリーランドがあります。夏は、カブトムシやクワガタムシに会えるイベント「世界のこんちゅう展」を開催しています。約 40 種類の動物に会えるエリアもあります。

URL https://www.shirakabaresort.jp/ikenotaira-hotel/
住 〒391-0392
長野県北佐久郡立科町芦田八ケ野 1596
TEL 0266-68-2100

白樺湖〜霧ヶ峰周辺の地図

ゆっくりと高原気分を味わいながら虫旅

白樺湖〜霧ヶ峰周辺は娯楽施設や美術館などもあり、夏の避暑にぴったりな場所です。すずしい高原の上で、いい景色をながめ、ゆったりしたリゾート気分で楽しみながら、昆虫を観察しましょう。

草原でヒョウモンチョウ類が見られる。また林に少し入っていくと、ミドリシジミ類などが観察できる
湖ぞいでトンボなどが見られる。
大門峠
1441
1504.9
三本松
白樺湖
白樺高原
白樺リゾート池の平ホテル
1490
北山
女神湖の周辺は草地と林が入り混じっており、昆虫が多い。
和田峠
筑摩山地
八島ヶ原湿原
湿原でトンボなどが見られる。また周辺の草原にも昆虫が多い。
霧ヶ峰
車山
拡大図を参照
立科町
丸山
下諏訪町
池の平周辺の林の中で昆虫を観察できる。
カシガリ山
大門街道
池のくるみを歩いていくと、湿原でトンボなどが見られる。また周辺の林にも昆虫が多い。
白樺湖の南側の斜面の草原にはチョウなどの昆虫が多い。
下諏訪駅
諏訪湖
上諏訪駅
諏訪市
蓼科湖
諏訪盆地

草原でさがそう

白樺湖の西と東の山には、草原が広がっています。その頂上まで行くと、ヒョウモンチョウ類が見られます。また水がしみ出ているところでは、ヒメシジミやアサマシジミなどが見られます。林の近くの草地ではウラジャノメが見られます。

アサマシジミ／シジミチョウ科

時期　6～7月

いるところ　草原

　めすの表は黒色です。採集禁止です。

ミドリヒョウモン／タテハチョウ科

時期　7～8月

いるところ　草原

　山頂付近にきます。

ウラジャノメ／タテハチョウ科

時期　6～7月

いるところ　林の縁など

　林の縁のしめった草むらにいます。

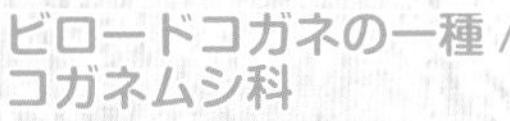

ビロードコガネの一種／コガネムシ科

時期　5～8月

いるところ　草原など

　湖のほとりの花によくいます。

湿原でさがそう

白樺湖周辺には、車山湿原や八島ヶ原湿原などがあります。高いところにある湿原では、とくにトンボなど、低地にいる昆虫とはちがった昆虫が見られます。

ベニモンマダラ／マダラガ科
時期 7〜8月　いるところ 草原
昼間にブーンと飛びます。

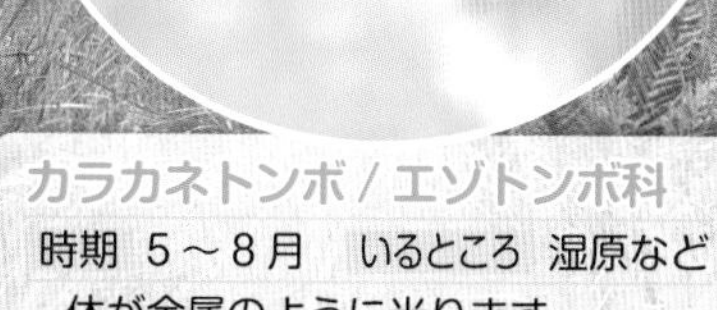

カラカネトンボ／エゾトンボ科
時期 5〜8月　いるところ 湿原など
体が金属のように光ります。

林でさがそう

白樺湖周辺には、林が広がります。カラマツ林にはあまり昆虫がいませんが、ミズナラなどが生えた林ではミドリシジミ類などが見られます。

ドロハマキチョッキリ／オトシブミ科
時期 4〜7月　いるところ 林
金属のように光ります。

エゾミドリシジミ／シジミチョウ科
時期 7月　いるところ 林
夕方飛びます。

中部地方のそのほかの観察地

中部地方には、昆虫の観察にいいところがたくさんありますが、採集を禁止しているところも多くあります。また、ところにより地元の住民がいやがるところがあり、網をもっていると、追い払われるところもあります。したがって、事前に調べてから観察に行くほうが、気持ちよく観察できます。

三国峠（新潟・群馬県）

難易度 ★★★

昆虫 ベニヒカゲ、ヒョウモンチョウ類、タテハチョウ類など　**時期** 7～8月

三国峠(みくにとうげ)は群馬県と新潟県の県境にあります。旧道を行って、トンネルの手前から山に登り、上にたどり着いたら三国山の方に行くと、チョウが飛んでいます。

- **湯沢ICから車で約30分、徒歩約40分**

医王山（石川県）

難易度 ★★☆

昆虫 ギフチョウ、ミドリシジミ類、クワガタムシ、カミキリムシなど

時期 4、7月

春はふもとでギフチョウが見られます。また医王山(いおうせん)はミドリシジミ類が多いところで、林道などで多くのミドリシジミ類を見ることができます。

- **金沢から車で約1時間**

六呂師高原（福井県）

難易度 ★★☆

昆虫 ミドリシジミ類、ヒョウモンチョウ類、クワガタムシなど

時期 6～7月

福井県大野市にある六呂師(ろくろし)高原は、草原性の昆虫が見られ、まわりの雑木林などではクワガタムシやミドリシジミ類、オオムラサキが見られます。

- **福井から車で約1時間**

野辺山（長野県）

難易度 ★☆☆

昆虫 ヒョウモンチョウ類、セセリチョウ類など
時期 7月

野辺山の八ヶ岳側には畑地が広がっていますが、その中にある草地やスキー場あとには、ヒョウモンチョウ類やセセリチョウのなかまが観察できます。

- **小渕沢から車で30分、JRで50分**

新穂高温泉（岐阜県）

難易度 ★★★

昆虫 ミドリシジミ類、タテハチョウ類、セセリチョウ、カミキリムシなど　**時期** 7～8月

新穂高温泉は、右俣谷も左俣谷も、いろいろな昆虫がいて楽しいところです。車からおりて、歩道を歩いていくと、チョウやコウチュウをたくさん見ることができます。

- **松本から車で約1時間30分**

御嶽山（長野・岐阜県）

難易度 ★★☆

昆虫 ミドリシジミ類、タテハチョウ類、クワガタムシ、カミキリムシなど　**時期** 7月

御嶽スキー場から御岳スカイラインの付近、そこから田ノ原天然公園にかけて、タテハチョウ類やカミキリムシなど、いろいろな昆虫が見られます。また開田高原でも昆虫観察が楽しめます。

- **名古屋から車で約3時間**

豊田市北東部（愛知県）

難易度 ★★☆

昆虫 ミドリシジミ類、ヒョウモンチョウ類、クワガタムシ、水生昆虫など
時期 6～8月

旧・作手村、藤岡町、足助町、稲武町には雑木林が広がり、ミドリシジミ類などが見られます。また休耕田などでは水生昆虫が見られます。

- **名古屋から車で約45分**

中部地方の昆虫が見られる施設

中部地方には、昆虫の施設が数多くあります。なかには、生きた虫を観察できる施設もあります。ここでとりあげた施設は、昆虫を楽しむことができる施設です。名和昆虫館は私営の博物館でありながら伝統があり、展示が充実しています。そのほかに、新潟県の胎内昆虫の家、富山市科学博物館、立山昆虫王国、福井市自然史博物館、山梨県立博物館、ふじのくに地球環境史ミュージアム、岐阜県博物館などがあり、また自然観察をうたっている公園が各県にあります。

石川県ふれあい昆虫館

白山のふもとにあるふれあい昆虫館は、雑木林や熱帯ジャングルなど４つのジオラマ展示のほか、1500 種 3000 点以上の世界の昆虫標本を展示しています。また温室「チョウの園」では、オオゴマダラなど約 1000 匹の生きたチョウが一年中見られます。さらに、オウサマゲンゴロウモドキなど希少なゲンゴロウ類の生体展示をしています。

URL https://www.furekon.jp/　住 〒920-2113　石川県白山市八幡町戌 3　TEL 076-272-3417
料 大人 410 円　小中高学生 200 円　幼児無料　開 9:30 ～ 17:00　休 火曜日

磐田市竜洋昆虫自然観察公園

この観察公園は、公園全体が観察できるビオトープになっていて、トンボやチョウを観察することができます。また公園内にはカブトムシなどを採集できるゾーンがあります。昆虫館には、生きた虫の展示や標本の展示があります。

URL https://ryu-yo.jp/
住 〒438-0214　静岡県磐田市大中瀬 320 番地 -1　TEL 0538-66-9900
料 大人 330 円　小中学生 110 円　幼児無料　開 9:00 ～ 17:00　休 木曜日

名和昆虫博物館

日本の現存する昆虫博物館で、最も長い歴史があります。世界のチョウや世界のカブトムシ・クワガタムシの標本の展示があり、クイズであきないようになっています。友の会「昆虫楽会」があり、昆虫観察会などの参加や質問にこたえてくれるなど一見の価値があります。

URL http://www.nawakon.jp/
住 〒500-8003　岐阜県岐阜市大宮町 2-18　TEL 058-263-0038
料 大人（高校生以上）650 円　小人（4 歳以上）450 円　開 10:00 ～ 17:00　休 火～木曜日

近畿地方

温暖な紀伊半島、寒い日本海側

近畿地方の紀伊半島では、温暖でヒラタクワガタやミカドアゲハなど南方系の昆虫が見られます。日本海側は雪がつもり、冬は寒く、夏は暑く、ブナ林が広がり、ミドリシジミ類などが見られます。内陸部の京都や滋賀、奈良は乾燥して、寒暖の差が激しいですが、古来から人々が里山をつくり、維持してきました。

自然が残った環境と、里山の環境

近畿地方は古くから人がすみ、田畑が広がる環境です。人の生活と自然が調和した雑木林があり、里山のいろいろな昆虫が見られます。

寺社巡りしながら昆虫を観察できる

京都市周辺

難易度
★★☆

観光地でありながら古い里山が残る京都

京都は古くから都として栄えてきました。寺社が多くあり、その中には古いサクラの木やカエデなどが生えていて、その木につく昆虫がいるので、観光地ながら昆虫が観察できます。郊外には里山が広がり、多くの昆虫が見られます。しかし、シカの食害が目立ち、以前観察できたのに見られなくなった昆虫が多く出ています。

時期は 4 月下旬〜 7 月

京都の北山に行くと、春から昆虫を観察することができます。また市街地から近い雑木林で、いろいろな昆虫を観察できます。

大原：京都には古くから続く集落と、田畑、雑木林があります。

京都市周辺の地図

京都の北山方面は車で行った方がいろいろと回ることができて便利です。一方市街地などは、駐車場等の関係で、車よりもバスを利用したほうが便利なことがあります。

広河原付近
川ぞいでトンボなどが見られ、集落の花にチョウなどがきます
・京都駅から車で約１時間
佐々里峠付近
春にはスギタニルリシジミやミヤマカラスアゲハが観察できます。
・京都駅から車で約１時間 20 分
大見尾根
花脊峠から北東に入る道を入ると、ミドリシジミ類がいます。
・京都駅からバスで約１時間 30 分
貴船
春に行くと、川ぞいなどで春のチョウが見られます。
・京都駅から車で 45 分
岩倉
花園町などの奥に雑木林があり、チョウやクワガタムシがいます。
・京都駅から車で約 40 分
宝ヶ池、深泥池
いろいろなトンボや水生昆虫がいます。
・京都駅から車で約 30 分
清滝
川ぞいでホタル、ミスジチョウなどが見られます。
・京都駅から車で約 40 分
哲学の道
京都市街地の近くでありながら、ホタルが見られます。
・京都駅からバスで約 40 分
佐々里峠
丹波高地
京都市
花脊峠
鞍馬山
貴船山
北区
十三石山
左京区
宝ヶ池駅
清滝川
峰山
愛宕山
地蔵山
沢山
御経坂峠
周山街道
大文字山
上京区
御所
中京区
二条駅
花園駅
嵐山
嵐山駅
西京区
山科駅
瓜生山
如意ヶ岳

広河原周辺で見られる昆虫

京都の北山には、古くからの里山があります。里山では雑木林が広がり、アゲハチョウ類やカブトムシ、クワガタムシが観察できます。また気をつけてみると、カゲロウやカワゲラなどの水生昆虫も観察できます。残念なことにシカの食害で、以前は多くいたウスバシロチョウは減ってしまいました。

ミヤマカラスアゲハ／アゲハチョウ科

時期 4～10月
いるところ 林の縁
花によくきます。

スギタニルリシジミ／シジミチョウ科

時期 4～5月
いるところ 川ぞい
沢ぞいにおりてきます。

ヒオドシチョウ／タテハチョウ科

時期 6～10月
いるところ 林の縁
夏にはいなくなります。

サラサヤンマ／ヤンマ科

時期 4～7月
いるところ 川ぞい
活発に飛びます。

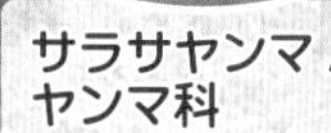

ウスバシロチョウ／アゲハチョウ科

時期 4～5月
いるところ 草地など
数は少ないです。

大見尾根で見られる昆虫

大見尾根などの、北山の尾根ぞいの道や山頂ではミドリシジミ類が見られます。朝から夕方まで、時間帯によりちがう種類が飛ぶので、一日中楽しめます。またカミキリムシなどもいます。

ヒサマツミドリシジミ／シジミチョウ科

時期 6～7月
いるところ　尾根ぞい
2～4時に飛びます。

エゾミドリシジミ／シジミチョウ科

時期 6～7月
いるところ　林
2時以降に飛びます。

アイノミドリシジミ／シジミチョウ科

時期 6～7月
いるところ　尾根ぞい
早朝に飛びます。

メスアカミドリシジミ／シジミチョウ科

時期 6～7月
いるところ　林
午前中に飛びます。

ジョウザンミドリシジミ／シジミチョウ科

時期 6～7月
いるところ　林
午前中に飛びます。

京都市郊外で見られる昆虫

京都北部の岩倉や大原などには里山が残っています。そこには、雑木林にすむ昆虫が見られます。また宝ヶ池や深泥池などにはトンボや水生昆虫が見られます。

ミズイロオナガシジミ / シジミチョウ科

時期　6～7月

いるところ　林

雑木林にいます。

ウラゴマダラシジミ / シジミチョウ科

時期　5～6月

いるところ　林

夕方に飛びます。

キマダラカミキリ / カミキリムシ科

時期　6～8月

いるところ　林

雑木林にいます。

ミドリシジミ / シジミチョウ科

時期　6～7月

いるところ　林

池の近くの林にいます。

チョウトンボ / トンボ科

時期　7月

いるところ　ため池

ひらひらと飛びます。

観光地で見られる昆虫

京都の観光名所の寺社などでは、古いサクラの木やカエデの木が生えています。そのようなところでは、キマダラルリツバメやミスジチョウが見られます。また、きれいな川のあるところでは、6月になるとホタルが見られます。

キマダラルリツバメ / シジミチョウ科
時期 6～7月
いるところ サクラの木など
夕方に飛びます。

ミスジチョウ / タテハチョウ科
時期 6月
いるところ 林など
寺などで見られます。

ゲンジボタル / ホタル科
時期 6～7月
いるところ 川ぞい
清滝などで見られます。

行ってみよう！

京都大学総合博物館

京都大学で、過去100年間に収集・研究されてきた学術標本資料・教育資料を、それらを研究に活用するとともに、一般に公開することを目的としてつくられました。

URL https://www.museum.kyoto-u.ac.jp/
住 〒606-8501 京都市左京区吉田本町
TEL 075-753-3272 料 一般400円 大学生300円 高校生以下無料 開 9:00～16：30 休 月曜日・火曜日

滋賀県立琵琶湖博物館

琵琶湖には、2000種以上の生き物が暮らしていて、ここにしかいない生き物もたくさんいます。人々はその自然とともにくらし、昆虫も人の生活と関係があります。そんな昆虫たちを展示しています。

URL https://www.biwahaku.jp/
住 〒525-0001 滋賀県草津市下物町1091
TEL 077-568-4811 料 一般800円 大学・高校生450円 中学生以下無料 開 9:30～17:00 休 月曜日

箕面

古くからの観光地の滝道で昆虫観察

阪急大阪梅田から阪急電鉄を乗りついで、箕面につくと、そこからすぐに滝道につづきます。滝道をのぼっていくと、道は谷ぞいの道になり、オオムラサキやクワガタムシ、トンボなどが出てきます。

時期は４～８月

春からいろいろな昆虫に出会えます。止々呂美は６～８月がいい時期です。

箕面付近の地図

滝道で昆虫を観察する場合は、阪急電鉄が便利です。止々呂美に行く場合は、いろいろとまわることができるので、車で行く方が観察しやすくなります。

滝道で見られる昆虫

滝道はきれいな水が流れる川ぞいにあります。川にはニホンカワトンボなどのトンボが観察できます。また、夏には、自動販売機のあかりにクワガタムシがくることがあります。多く観察したいのなら、林の中に入って樹液をさがしましょう。7月末からは、タマムシがよく見られます。

ニホンカワトンボ / カワトンボ科
時期 5～8月　いるところ 川ぞい
ひらひらと飛びます

ルリタテハ / タテハチョウ科
時期 4～10月　いるところ 林の縁など
枝の上を飛びます。

ヘビトンボ / ヘビトンボ科
時期 6～9月　いるところ 川の近く
幼虫は川の中にすみます。

ナミハンミョウ / ハンミョウ科
時期 4～9月　いるところ 砂地など
よく飛びます。

ヤマトタマムシ / タマムシ科
時期 7月　いるところ 林
枯れ木に集まります。

オオセンチコガネ / センチコガネ科
時期 4～10月　いるところ 林など
動物のふんに集まります。

箕面でホタルを見よう！

6月になると滝道でゲンジボタルが飛びます。ゲンジボタルは8時を過ぎるころから光り出します。ホタル1頭1頭の寿命は短いですが、滝道では下から順に出るので、滝道の上の方では7月まで見ることができます。

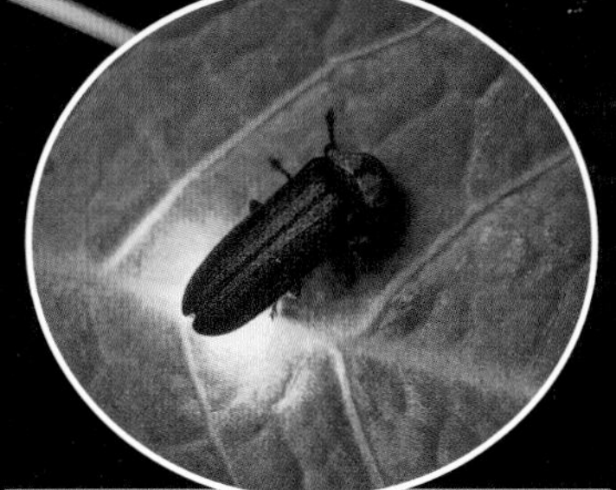

ゲンジボタル / ホタル科
時期 6～7月　いるところ 川ぞい

行ってみよう！

箕面公園昆虫館

箕面公園昆虫館では、身近な昆虫から遠い海外の昆虫の標本や生体を展示・解説しています。展示室には箕面の昆虫をはじめ、昆虫の分類ごとの展示、南西諸島や海外の昆虫の生体の展示、水生昆虫の展示があります。放蝶園では、箕面の昆虫や南西諸島の亜熱帯の昆虫を常時見ることができます。また企画展でカブトムシ・クワガタムシ、秋に鳴く虫などを生きたまま見ることができるので、事前にホームページを見て、企画を確認してください。昆虫が好きなら、一日まわっても楽しめます。

URL https://www.mino-konchu.jp/
住 〒562-0002　大阪府箕面市箕面公園1-18
TEL 072-721-3014（箕面公園管理事務所）　料 高校生以上280円　中学生以下無料　開 10:00～17:00（入館受付は16:30まで）　休 火曜日
※滝道は通行禁止です。駐車場はありません。

注意：川への転落防止のため、柵からは身を乗りださない・登らないでください。また、お子さまからは目をはなさないでください。

港町神戸で、海を見ながら楽しい昆虫観察

須磨離宮公園

西洋式庭園と植物園がある公園

須磨離宮公園は戦前につくられた武庫離宮が神戸市に下賜された公園です。植物園もあり、四季それぞれの花が見られます。同公園内には、有志がバタフライガーデンをつくっており、いろいろなチョウが見られます。

時期は4～10月

公園内では、池の近くでトンボ類、バタフライガーデンでチョウ類、周囲の林でカブトムシ・クワガタムシ類などのコウチュウが見られます。なお、**公園内は昆虫採集禁止です。**

須磨離宮公園
URL https://www.kobe-park.or.jp/rikyu/
住 〒654-0018　神戸市須磨区東須磨 1-1
TEL 078-732-6688
料 15 歳以上 400 円　小・中学生 200 円
開 9：00～17：00　休 毎週木曜日

有志がつくるフラワーガーデン

須磨離宮公園の植物園で、チョウがくるようにと、有志がチョウがくる木や草、花を植えるなどの活動をしています。そのおかげで、公園内にいろいろなチョウがやってきて、すみつくようになっています。

須磨離宮公園の地図

⚠ 須磨離宮公園は、電車で行くのがいいでしょう。公園の北側には雑木林が広がっていて、ここでは採集ができます。

公園の外の天井川そいの雑木林で、昆虫が観察できる。

須磨離宮公園

公園の北側には雑木林があり、カブトムシ・クワガタムシなどが見られる。

公園の東側の旧室谷邸近くにバタフライガーデンがある。

公園の池にはチョウトンボなどのトンボがいる。

月見山駅

須磨寺駅

須磨海浜公園駅

須磨離宮公園までの時間
神戸三宮から阪神電鉄・神戸高速・山陽電鉄で月見山駅まで約 15 分、徒歩 6 分
三ノ宮駅から JR で須磨海浜公園駅まで約 15 分、徒歩 15 分

公園内でさがそう

須磨離宮公園の中にはバタフライガーデンにいるチョウ類だけでなく、雑木林や池があるので、昆虫がたくさん見られます。カブトムシ、クワガタムシ類などのコウチュウ、トンボ類など、都市近郊の公園の中とは思えないほどのいろいろな昆虫が見られます。

ノコギリクワガタ／クワガタムシ科
時期 6～8月
いるところ 林
樹液にきます。

ミドリヒョウモン／タテハチョウ科
時期 6～7月
いるところ 草地など
めすは10月にもいます。

ショウジョウトンボ／トンボ科
時期 4～10月 いるところ 池のまわり
全身が赤いです。

チョウトンボ／トンボ科
時期 6～8月 いるところ 池
アシが生える池にいます。

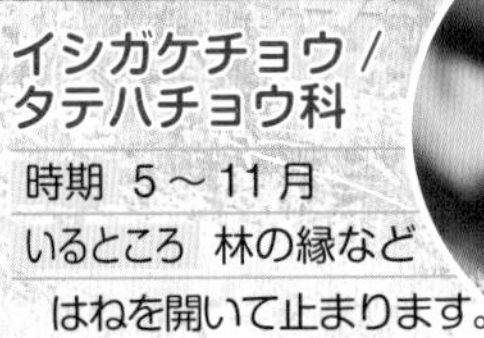

イシガケチョウ／タテハチョウ科
時期 5～11月
いるところ 林の縁など
はねを開いて止まります。

ジャコウアゲハ／アゲハチョウ科
時期 4～10月
いるところ 草地など
花によくきます。

カブトムシ／コガネムシ科
時期 6～8月 いるところ 林
樹液に集まります。

公園の外の雑木林でさがそう

須磨離宮公園の外の北側には、雑木林が広がっています。そこではミドリシジミ類などのチョウ、カブトムシ、クワガタムシなどが見られます。とくに天井川ぞいは歩きやすく、昆虫が観察しやすいところです。

アカシジミ / シジミチョウ科
時期 5～6月
いるところ 林
草や木の葉に止まっています。

シロスジカミキリ / カミキリムシ科
時期 5～8月
いるところ 林
あかりにきます。

ミズイロオナガシジミ / シジミチョウ科
時期 5～6月
いるところ 林
草や葉に止まっています。

ツマキチョウ / シロチョウ科
時期 3～4月 いるところ 草地など
花によくきます。

カラスアゲハ / アゲハチョウ科
時期 4～9月 いるところ 林の縁など
道ぞいを飛びます。

クロコノマチョウ / タテハチョウ科
時期 5～11月
いるところ 林
地面に止まっています。

クロハナムグリ / コガネムシ科
時期 5～8月 いるところ 林の縁など
白い花にきます。

林の中の草原でいろいろな昆虫に出会える

ハチ北高原・金山峠

●関西圏から近い大草原

兵庫県のハチ北高原にあるスキー場は、夏には広い草原になり、その草原でいろいろな昆虫が観察できます。一方、金山峠(きんざんとうげ)にはカシワ林が広がり、ハヤシミドリシジミなどのミドリシジミ類などが見られます。

●時期は６～８月

５月に春のチョウなどが見られますが、昆虫が多くなるのは６月中旬以降です。

オナガアゲハ / アゲハチョウ科
時期　4月末～7月
いるところ　林の縁など
はねが長いです。

アカエゾゼミ / セミ科
時期　7～9月　いるところ　林
「ビーン」と鳴きます。

ムネアカセンチコガネ / ムネアカセンチコガネ科
時期　5～10月
いるところ　草原など
地面近くを飛びます

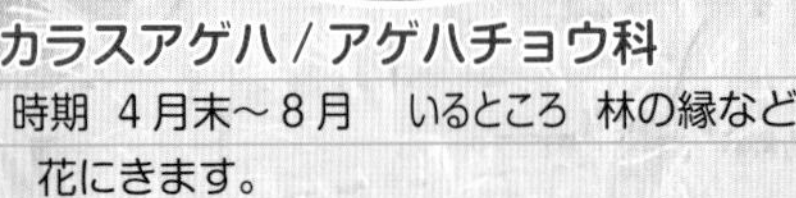

カラスアゲハ / アゲハチョウ科
時期　4月末～8月　いるところ　林の縁など
花にきます。

ミヤマクワガタ / クワガタムシ科
時期　7月
いるところ　林
樹液にきます。

ジョウザンミドリシジミ / シジミチョウ科
時期　7月　いるところ　林
午前中に飛びます。

金山峠にも行こう

金山峠はハチ北高原とはちがい、カシワ林が広がっています。キマダラルリツバメなども見られます。また名草神社までの途中ではミドリシジミ類が見られます。

クビアカトラカミキリ / カミキリムシ科
時期 6～9月　いるところ 林
枯れ木に集まります。

キマダラルリツバメ / シジミチョウ科
時期 7月　いるところ カシワ林
夕方に飛びます。

ハヤシミドリシジミ / シジミチョウ科
時期 7月
いるところ カシワ林
午後に飛びます。

ハチ北高原・金山峠の地図

ハチ北高原までの時間
神戸から車で約２時間20分
大阪から車で約２時間20分

村岡区耀山
金山峠
峠近くにカシワ林があり、そこで昆虫が見られる。

金山峠から名草神社までの道でミドリシジミ類が見られる。
名草神社
村岡区福岡
ハチ北高原

スキー場やその周辺の林でいろいろな昆虫が観察できる。

⚠この付近は公共機関は不便なので、車で行くことをおすすめします。いい林や草原があったら、昆虫をさがしてみましょう。

黒潮のあたたかさで、南方系の昆虫が観察できる

太地町

難易度 ★☆☆

あたたかい紀伊半島の海岸

太地町は紀伊半島の南端近くにあり、とてもあたたかいところです。クジラの町として有名です。昆虫は南の昆虫が多く見られ、ちょっとした南国気分になります。

時期は4～10月

5月の連休前からチョウが飛びはじめ、7月にクワガタムシが見られます。

ナガサキアゲハ / アゲハチョウ科

時期 4～10月　いるところ 集落など

花によくきます。

ヤクシマルリシジミ / シジミチョウ科

時期 3～11月

いるところ 林の縁など

集落にもいます。

ミカドアゲハ / アゲハチョウ科

時期 4月末

いるところ 神社など

白い花にきます。

イシガケチョウ / タテハチョウ科

時期 5～11月　いるところ 林の縁など

秋は花にきます。

ウラギンシジミ / シジミチョウ科

時期 5～11月　いるところ 林の縁など

秋はクズの花にきます。

ヒラタクワガタ／クワガタムシ科
時期　4～10月
いるところ　林
成虫で越冬します。

サツマゴキブリ／ブラベルスゴキブリ科
時期　秋　いるところ　林の中
朽ち木にもぐっています。

太地町の地図

太地町までの時間
和歌山から車で2時間40分
和歌山駅からJRで3時間20分

近畿地方のそのほかの観察地

近畿地方では、大阪や京都、神戸など都市から少しはなれたところで、昆虫がいる里山が残っています。これらの里山にはカブトムシ、クワガタムシ、トンボなどが見られます。また京都の北山や紀伊半島には自然状態の林が残っており、クワガタムシ、カミキリムシなどを観察することができます。

朽木～坊村（滋賀県）

難易度 ★☆☆

昆虫 アゲハチョウ類、ミドリシジミ類、クワガタムシなど

時期 5、7月

高島市朽木（くつき）から大津市坊村（ぼうむら）までは、昔ながらの里山が見られるところで、雑木林や草むらが見られ、里山にすむ昆虫が観察できます。

・大津駅から車で 45 分

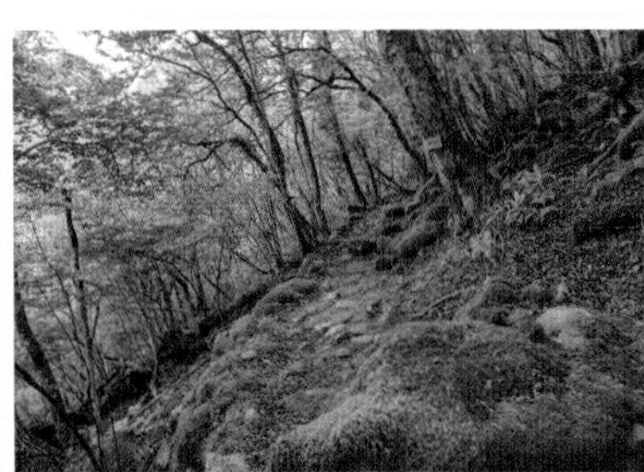

大洞山（三重県）

難易度 ★★★

昆虫 ミドリシジミ類、オオムラサキ、クワガタムシなど

時期 6～8月

津市にある大洞山（おおぼらやま）にはキャンプ場があり、その周辺でオオムラサキやウラキンシジミなどが見られます。また、クワガタムシも観察できます。

・津駅から車で約 1 時間 10 分

奈良公園周辺

難易度 ★★☆

昆虫 タテハチョウ類、オオセンチコガネ、クワガタムシなど **時期** 6～8月

奈良公園近くの若草山やその周辺の雑木林ではクワガタムシなどが観察できます。またシカのふんをひっくりかえすと、オオセンチコガネが観察できます。**採集禁止です。**

・近鉄奈良駅から徒歩 20 分

五十鈴公園（三重県）

難易度 ★☆☆

昆虫 アゲハチョウ類、カブトムシ、クワガタムシなど　**時期** 4～10月

伊勢市の五十鈴（いすず）公園は伊勢神宮に近く、豊かな自然に囲まれています。春からアゲハチョウ類が見られ、夏にはカブトムシやクワガタムシが観察できます。

- **五十鈴川駅から徒歩25分**

笠置町（かさぎちょう）（京都府）

難易度 ★★☆

昆虫 ジャノメチョウ類、カブトムシ、クワガタムシなど

時期 6～9月

京都と奈良の間にあり、里山が広がっているところです。とくに有市では、オオヒカゲなどのジャノメチョウ類が観察できます。

- **京都駅から車で約1時間10分**

枚岡公園（ひらおか）（大阪府）

難易度 ★☆☆

昆虫 オオムラサキ、ミドリシジミ類、カブトムシ、クワガタムシなど　**時期** 6～7月

大阪の市街地に近いところですが、雑木林が残っていて、オオムラサキやミドリシジミ類が観察できます。またカブトムシ、クワガタムシも観察できます。

- **額田駅から徒歩10分**

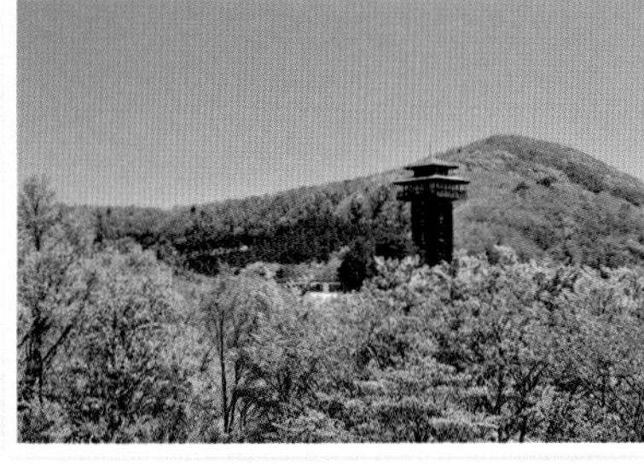

護摩壇山（ごまだん）（和歌山県）

難易度 ★★★

昆虫 ミドリシジミ類、クワガタムシ、カミキリムシなど　**時期** 7月

ブナ林が広がる山で、春にはルリクワガタ類が見られます。また、夏はミドリシジミ類が山頂にやってきます。ふもとではミヤマクワガタなどが見られます。

- **和歌山駅から車で約1時間50分**

近畿地方の昆虫が見られる施設

近畿地方は博物館がとても充実しています。また、生きた昆虫が見られる施設もあります。博物館はほかに、大阪市立自然史博物館、三重県総合博物館、和歌山県立自然博物館があります。

橿原市昆虫館

橿原(かしはら)市昆虫館は標本展示室、昆虫がすむ環境を再現して昆虫を観察する生態展示室、亜熱帯の植物や花の間を行きかうチョウが一年中を通して観察できる放蝶温室の３つに分かれています。

URL https://www.city.kashihara.nara.jp/kanko_bunka_sports/konchukan/index.html
住 〒634-0024　奈良県橿原市南山町 624
TEL 0744-24-7246　料 大人 520 円　学生 410 円　幼児中学生以下 100 円
開 4 ～ 9 月：9:30 ～ 17:00、10 ～ 3 月：9:30 ～ 16:30（入館受付は閉館 30 分前まで）　休 月曜日

兵庫県立 人と自然の博物館

兵庫県立人と自然の博物館は、「人と自然の共生」をテーマとした自然史系の博物館です。展示物は兵庫県を中心としたもので、昆虫類は北摂（兵庫県東部の山間部～大阪府北部）の昆虫などを展示しています。また、世界の昆虫も多数展示しています。

URL https://www.hitohaku.jp/
住 〒669-1546　兵庫県三田市弥生が丘 6 丁目　TEL 079-559-2001
料 大人 200 円　大学生 150 円　高校生以下無料　開 10：00 ～ 17：00　休 月曜日

伊丹市昆虫館

伊丹市昆虫館は、生きた昆虫や標本の展示をはじめ、体験型の特別展や個性的な企画展を数多く開催して、昆虫の魅力を紹介しています。チョウ温室では一年中生きたチョウを観察できます。また海外のカブトムシをはじめ多様な昆虫を生きたまま展示しています。

URL https://www.itakon.com/
住 〒664-0015　伊丹市昆陽池 3-1 昆陽池公園内　TEL 072-785-3582
料 大人 400 円 中高生 200 円 小学生～ 3 歳 100 円　開 9：30 ～ 16：30（入館受付は 16:00 まで）
休 火曜日（火曜が祝日の場合は翌日休）、年末年始

中国・四国地方

雪がふる日本海側、雨が多い四国南部

中国地方の日本海側は雪が多く、また対馬海流であたたかい気候です。四国南部は雨が多く、カシやシイなどの照葉樹の林が広がり、南方系の昆虫がいます。

雨が少ない瀬戸内海沿岸

中国山地と四国山地にはさまれた瀬戸内海沿岸は、雪と雨があまりふらず、乾いた気候です。湿地の昆虫が見られます。

変化のある自然とおもしろい昆虫

中国地方、四国にはカルスト台地と火山があり、草原があります。ブナ林と照葉樹林、さらには湿地があり、いろいろな昆虫が楽しめるところです。

深い森と草原が広がる山

大山

難易度 ★★☆

中国地方で一番高い山のふもとの大自然

大山（だいせん）は、中国地方で一番高い山です（標高 1729m）。そのふもとにはブナ林やナラなどの深い森、草原が広がります。大山寺や桝水（ますみず）高原などの観光地のほか、大山環状道路ぞいが、観察にむいています。春も夏も、昆虫観察が楽しいところです。

時期は 4 月中旬、6 月下旬～ 7 月

春にはギフチョウなどのチョウが観察できます。夏は林の中でクワガタムシやカミキリムシなどが観察できます。

大山には草原だけでなく、深い森もあります。この森にはクワガタムシやミドリシジミ類がすんでいます。

大山の地図

観察のために、大山に登山する必要はありません。まわりの森や草原で観察します。車で観察地の近くまで行けるので、気軽に昆虫の観察ができます。

大山自然歴史館までの時間
鳥取駅から車で約 1 時間 30 分
松江駅から車で約 1 時間

大山寺周辺では春はギフチョウなど、夏は雑木林の昆虫が見られる。

西伯郡

大山自然歴史館

大山寺

桝水高原天空リフト

倉吉市

桝水高原では、草原性の昆虫が見られる。

鏡ヶ成(かがみがなる)湿原では、草原性の昆虫や湿原性の昆虫が見られる。

蒜山(ひるぜん)高原では、林にミドリシジミ類やクワガタムシ、草原で草原性のチョウなどが見られる。

⚠ 採集禁止の場所に注意

大山は大山隠岐国立公園に指定されています。採集禁止の特別保護地区に指定されている場所が入り組んでいます。下のホームページを参照していただき、事前に確認し、ルールを守って観察しましょう。

URL https://www.env.go.jp/park/daisen/intro/files/140326aa.pdf

行ってみよう！

大山自然歴史館

大山寺の入り口から大山北壁を望むと目に入ってくるのが「大山自然歴史館」です。館内には大山の自然や歴史について、写真や模型、剥製、標本などが多く展示されています。自然観察会も開催しています。

URL http://daisen-museum.jp/
住 〒689-3318　鳥取県西伯郡大山町大山 43
TEL 0859-52-2327　料 無料　休 年中無休（年末年始をのぞく）　開 9：00 ～ 17：00

春にさがそう

大山の春は雪どけとともにはじまります。雪がとけたところから花がさき、ギフチョウが舞います。また春にしか見られないコツバメなども見られます。しばらくすると、オオシモフリスズメやカミキリムシのなかまなども見られるようになります。

ギフチョウ／アゲハチョウ科
時期　4月中旬
いるところ　雑木林など
花によくきます。

コツバメ／シジミチョウ科
時期　4月
いるところ　雑木林
日光がはねに当たるように止まります。

シロトラカミキリ／カミキリムシ科
時期　4～9月　いるところ　森など
白い花にきます。

ヤマトシリアゲ／シリアゲムシ科
時期　4～9月　いるところ　森など
草の上でよく見ます。

夏の林でさがそう

夏の大山は、高いところから低いところまで、いろいろな昆虫がみられます。アカアシクワガタ、ミヤマクワガタ、オニクワガタなどのクワガタムシをはじめ、ミドリシジミ類などが林道で観察できます。ダイセンササキリモドキなど、大山周辺でしか見ることのできない昆虫もいます。

アカアシクワガタ / クワガタムシ科
時期 6～9月　いるところ 森
林道ぞいのヤナギの木に集まります。

ジョウザンミドリシジミ / シジミチョウ科
時期 6～7月　いるところ 林
ミズナラが生えた林にいます。

ダイセンササキリモドキ / ササキリモドキ科
時期 7～8月　いるところ 森のまわり
あかりによくきます。

セダカコブヤハズカミキリ / カミキリムシ科
時期 5～10月　いるところ 森
林道を歩いているのを見かけます。枯れ葉を食べます。

夏の草原でさがそう

大山には、桝水高原や蒜山高原に草原が広がっています。草原には、雑木林とはちがった昆虫がいます。花を見つけて、どのような昆虫がいるか、観察してみましょう。チョウやハチだけでなく、ハナムグリなどのコウチュウも見られます。

ミドリヒョウモン / タテハチョウ科
時期 6～9月　いるところ 草原
花によくきます。

ヒメシジミ / シジミチョウ科
時期 6～7月　いるところ 草原など
花などにきます。

コキマダラセセリ / セセリチョウ科
時期 7月　いるところ 草原
はやく飛びますが、花によく止まります。

キムネクマバチ（クマバチ）/ ミツバチ科
時期 5～8月　いるところ 草原
昼間に活動します。

谷すじでさがしてみよう

林の中に小川が流れているところがあります。また渓流もあります。そのような場所では、トンボが見られます。またまわりの岩や草をよく見ると、カゲロウやカワゲラのなかまも見られます。川があったら、トンボをさがしましょう。

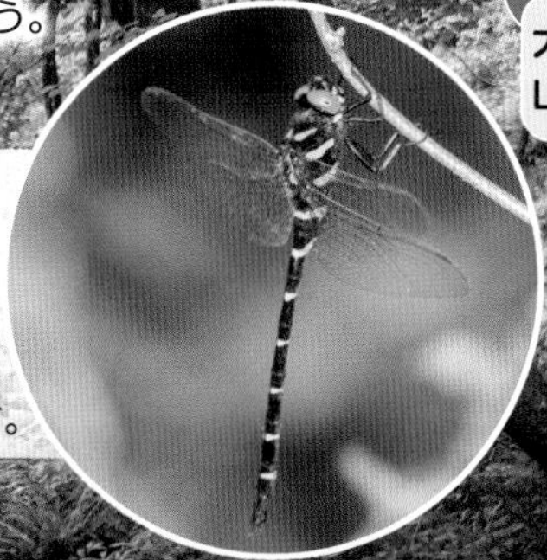

オニヤンマ / オニヤンマ科
時期　7～10月
いるところ　林道など
高いところを飛びます。

ミヤマカワトンボ / カワトンボ科
時期　5～9月
いるところ　渓流など
ひらひらと飛びます。

ヒメフタオカゲロウ / ヒメフタオカゲロウ科
時期　4月下旬～5月
いるところ　きれいな川

大山周辺には、昆虫採集に協力的なペンション、ホテルがあります。また昆虫採集に都合のいい場所にあるキャンプ場もあります。宿泊施設によっては、夜間のライトトラップやバナナトラップなどをしているところがありますので、インターネットで調べてみましょう。

行ってみよう！

鳥取県立博物館

大山から少しはなれていますが、鳥取県立博物館には大山や鳥取砂丘の昆虫が展示されています。また、世界の昆虫も展示されていて、昆虫のいろいろな形と不思議さがわかります。昆虫観察会も開催しています。

URL https://www.pref.tottori.lg.jp/museum/
住 〒680-0011　鳥取県鳥取市東町２丁目124
TEL 0857-26-8042
料 一般180円 / 大学生以下・70歳以上 無料
開 9：00～17：00　休 月曜日

カルスト台地の上の、のどかな里山

草間台地

難易度 ★★☆

里山が広がる草間台地

草間台地は、岡山県新見市の市街の東にあります。草間台地は石灰石でできたカルスト台地で、鍾乳洞などがあります。雑木林が広がり、ナラガシワなどが生え、ミドリシジミ類が多く見られます。なかでもヒロオビミドリシジミは、日本ではおもに中国地方で見られるチョウです。

時期は６月中旬～８月

ミドリシジミ類を見るなら６月中旬です。草間台地にはクワガタムシやカブトムシがいますが、それらは７月によく観察できます。

草間台地は、このような雑木林と草地がまざっていて、いろいろな昆虫が楽しめるところです。

草間台地の地図

草間台地は車で行くのが便利です。車で雑木林をさがしながら、ナラガシワがあったら、観察してみましょう。また、草地があったら、花を見てみましょう。

草間台地までの時間

岡山駅から車で約 1 時間 20 分
大阪駅から車で約 3 時間

カルスト地形と鍾乳洞

カルスト台地は、石灰石が風化してできた地形です。石灰石が二酸化炭素がとけている雨に浸食され、表面は風化していきますが、その雨水は地下にしみわたります。すると、地下で石灰岩がとけて、鍾乳洞などができます。

草間台地のまわりには、羅生門、井倉洞、満奇洞などの名勝があります。それらは石灰岩と二酸化炭素がとけた雨の、自然の造形です。

土橋の付近では管理された草原があり、草原性の昆虫が観察できる

豊永の付近の雑木林では、樹液にくる昆虫が見られる。

井倉から台地にのぼりきった付近のナラガシワ林で昆虫が見られる。

ナラガシワ

葉がコナラのような形をしていますが、大きさはカシワの葉くらいあります。

草間台地にいる昆虫

草間台地には、ナラガシワが中心の雑木林が広がっています。そこにはヒロオビミドリシジミなどのミドリシジミ類をはじめとしたチョウ、クワガタムシやカブトムシ、カミキリムシが観察できます。草間台地にいるミドリシジミ類は、長い棒でナラガシワなどをたたくと、飛び出してきます。

ウラジロミドリシジミ / シジミチョウ科
時期 6～7月　いるところ ナラガシワ林
夕方に飛びます。

ヒロオビミドリシジミ / シジミチョウ科
時期 6～7月　いるところ ナラガシワ林
9～16時に飛びます。

ウスイロオナガシジミ / シジミチョウ科
時期 6～7月
いるところ 雑木林
昼間は木の上の葉や下草に止まっています。

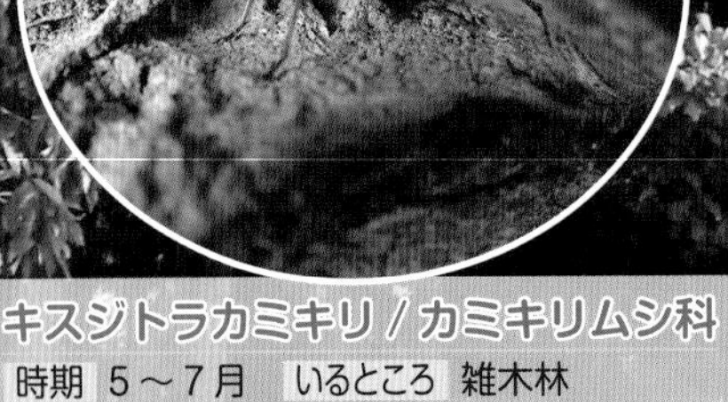

キスジトラカミキリ / カミキリムシ科
時期 5～7月　いるところ 雑木林
白い花によくきます。

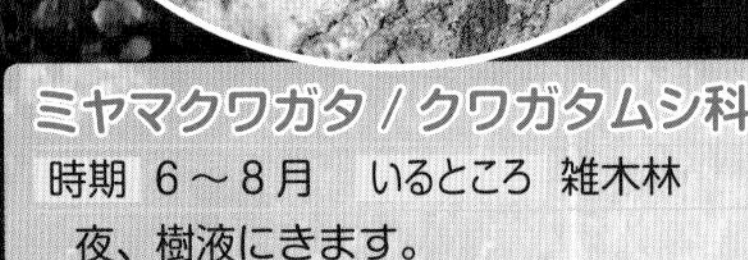

ミヤマクワガタ / クワガタムシ科
時期 6～8月　いるところ 雑木林
夜、樹液にきます。

スジボソヤマキチョウ / シロチョウ科

時期　5～10月

いるところ　草地など

6～8月は見られなくなります。

ミドリヒョウモン / タテハチョウ科

時期　6～10月　いるところ　草地など

花によくきます。真夏には見られなくなります。

キバネツノトンボ / ツノトンボ科

時期　5～7月

いるところ　草地など

触角が長いです。

見てみよう！

草間台エコミュージアム

草間台エコミュージアムは、カルスト地形特有の自然環境や歴史、文化に着目し、地域全体を屋根のない博物館に見立てて活動を展開しています。展示物はあまりないですが、イベントが企画され、ヒメボタルの観察会なども開かれています。

URL http://kusamadai.com/

FB https://www.facebook.com/profile.php?id=100063692641309

住 〒719-2641　岡山県新見市草間 7471-1

✉ kusa_eco2641@yahoo.co.jp

行ってみよう！

倉敷市立自然史博物館

倉敷市立自然史博物館は、倉敷の美観地区近くにあります。昆虫の標本が展示され、昆虫の世界の不思議がわかります。ホームページには観察にいい場所などがのっています。

URL https://www.city.kurashiki.okayama.jp/musnat/

住 〒710-0046　岡山県倉敷市中央 2-6-1

TEL 086-425-6037

料 一般 150 円　大学生 50 円　高校生以下無料

開 9：00～17：15　休 月曜日

カシワ林と草原が広がる昆虫の宝庫

冠高原

難易度 ★★☆

広島県と山口県の県境付近にある冠高原には、カシワ林が広がり、ミドリシジミ類が見られます。また、林の中にはオオヒカゲなどのジャノメチョウ類もすんでいます。ミヤマクワガタなども観察でき、夏におとずれるのにいい場所です。

ウスバシロチョウ / アゲハチョウ科
時期 5月
いるところ 草地
花によくきます。

アカシジミ / シジミチョウ科
時期 6～7月
いるところ 林
クリの花にきます。

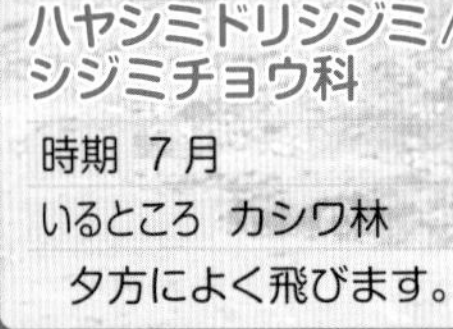

ハヤシミドリシジミ / シジミチョウ科
時期 7月
いるところ カシワ林
夕方によく飛びます。

スジボソヤマキチョウ / シロチョウ科
時期 5～10月
いるところ 林の縁など
夏にはいません。

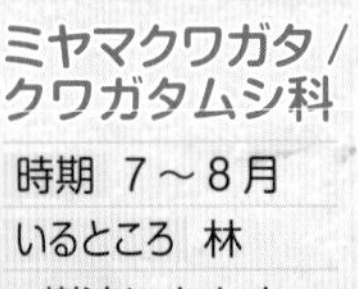

ミヤマクワガタ / クワガタムシ科
時期 7～8月
いるところ 林
樹液にきます。

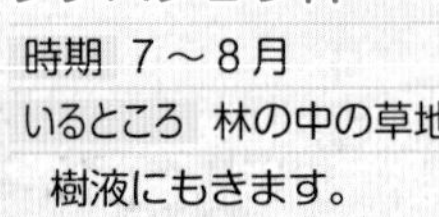

オオヒカゲ / タテハチョウ科
時期 7～8月
いるところ 林の中の草地
樹液にもきます。

※冠高原にいるカシワアカシジミは種の保存法に指定されているため、当地で採集をしていると注意されることが多くあります。アカシジミ類は採集しないでください。

冠高原の地図

廿日市市吉和地区には自然が残っているので、冠高原だけでなく、小さな谷などでも昆虫を楽しむことができます。スキー場のあとなどもおすすめです。

冠高原までの時間
広島駅から車で約1時間20分

山間の村、吉和

廿日市市吉和地区は、以前は「吉和村」という独立した自治体で、中国地方でも高所にある町です。

高所にあることから、アマゴなどの川魚、あわび茸などのきのこ、そして質のいいワサビがとれるところで、それが名産品になっています。

松の木峠

山一帯にカシワが生えていて、カシワ林と草地に昆虫がいる。

飯山

鬼ヶ城山

廿日市市

谷あいに広がる静かな集落と雄大な自然

祖谷渓～剣山

難易度 ★★☆

四国の奥深い山にある渓谷、祖谷渓

祖谷渓は、徳島県の剣山から流れる川ぞいにある渓谷です。谷が深く、まだ手つかずの自然が多く残っています。谷があるところが標高が高いため、四国のほかの場所では見られない昆虫がいます。また、剣山の登山道まで車で行くことができ、その途中にはブナ林があり、ヒメオオクワガタなどの標高の高いところにいるクワガタムシもいます。

時期は７～８月

春でも昆虫は観察できますが、夏の方が種類が多くなります。

祖谷渓の谷です。谷底から見て、かなり高いところを道が通っています。また山の傾きがとても急になっています。

祖谷渓～剣山の地図

祖谷渓から剣山にかけては、四国でも高所にいる昆虫が見られます。峠やそこからのびる登山道は狙い目の観察ポイントです。道ぞいなら集落周辺がいいでしょう。

落合峠付近では、ミドリシジミ類やカミキリムシなどが観察できる。
集落周辺と谷でいろいろな昆虫が観察できる。
落合峠
林で、高いところにすむカミキリムシやクワガタムシが観察できる。
三好市
菅生
落合
新居屋
剱神社
剣山
集落周辺でいろいろな昆虫が観察できる。
このあたりの岩や石組みにクロツバメシジミがいることがある。
祖谷渓までの時間
徳島駅から車で約２時間
高知駅から車で約２時間
西祖谷山の地図
一宇
集落周辺でいろいろな昆虫が観察できる。
善徳
高松
徳島

祖谷そば

祖谷山地区では、８月にまいた種から10月にそばを刈り入れます。それをひいてつくったそば粉100%のそばが「祖谷そば」です。太く、切れやすいですが、信州そばなどとはちがった味がします。

夏にいる昆虫

祖谷渓の道は日当たりが悪いところを通っていますが、集落周辺などの日当たりのいいところで昆虫をさがすと、オオムラサキやミヤマクワガタなどが観察できます。またカミキリムシなどが多くいます。

オオスジマグソコガネ／コガネムシ科
いるところ　林など
動物のふんにきます。

ミスジチョウ／タテハチョウ科
時期　6～7月
いるところ　林
カエデの木が多いところにいます。

カラスアゲハ／アゲハチョウ科
時期　4～9月
いるところ　林の縁
花によくきます。

オオムラサキ／タテハチョウ科
時期　6～7月
いるところ　林
集落周辺に多くいます。

ミヤマクワガタ／クワガタムシ科
時期　7～8月　いるところ　林
集落近くに多くいます。

マルガタハナカミキリ／カミキリムシ科
時期　6～8月
いるところ　林
白い花によくきます。

山や峠で観察しよう

山頂付近や尾根、峠、林などでは、いろいろな昆虫を観察することができます。高いところにいる昆虫だけでなく、ふもとからのぼってきた昆虫などもいます。とくにミドリシジミ類は、峠や山頂付近でよく観察できます。

ヒメキマダラヒカゲ／タテハチョウ科
時期　5〜9月
いるところ　ササやぶ
山頂付近によくいます。

アイノミドリシジミ／シジミチョウ科
時期　6〜7月
いるところ　林など
峠や山頂にきます。

ヤマキマダラヒカゲ／タテハチョウ科
時期　5〜8月
いるところ　ササやぶ
高いところにいます。

オニクワガタ／クワガタムシ科
時期　7〜8月
いるところ　ブナ林
樹液にはきません。

ヒメオオクワガタ／クワガタムシ科
時期　7〜9月
いるところ　ブナ林
ヤナギの木にきます。

フジミドリシジミ／シジミチョウ科
時期　6〜7月
いるところ　ブナ林
峠や山頂にきます。

奥が深い渓谷で、奥が深い昆虫観察

面河渓

難易度
★★★

四国最高峰から流れる川の渓谷

面河渓（おもごけい）は、四国最高峰の石鎚山（いしづちさん）から流れる川ぞいの渓谷で、深い谷があり、自然が残されています。高いところにはブナ林があり、そこでしか見られないタカネルリクワガタなどのめずらしい昆虫がいます。その一方で、ふもとではミヤマクワガタなどの昆虫が見られます。

時期は５月、７～８月

５月にしか出ない昆虫や秋にしか出ない昆虫もいますが、多くの昆虫が出てくる７～８月が観察にいいでしょう。

面河渓に行く途中の集落も、昆虫にいい環境です。花などを見て、昆虫をさがしましょう。

面河渓付近の地図

面河渓から石鎚山の間にはめずらしい昆虫がいますので、時間があったら登ってみてもいいかもしれません。渓谷ぞいでも、十分に昆虫観察が楽しめます。

石鎚山

峠付近でミドリシジミ類やカミキリムシなどが観察できる。

愛大石鎚小屋

ササ原がつづく登山道でオサムシ類やヒメキマダラヒカゲなどが観察できる。

愛大石鎚小屋付近にはいろいろな昆虫がくる。

久万高原町

西条市

面河山

面河山付近でルリクワガタ類、ミドリシジミ類が観察できる。

石鎚スカイライン

久万高原町

キャンプ場付近から白い花でアオバセセリ、カミキリムシが観察できる。

渓流ぞいでアゲハチョウ類、アオバセセリ、ジャノメチョウ類が観察できる。

関門

面河渓までの時間
松山駅から車で約1時間30分

行ってみよう！

面河山岳博物館

石鎚山系と面河渓、久万高原町の自然を紹介する博物館で、面河渓の入り口である関門に位置しています。動植物や岩石など自然史に関する展示がメインで、たくさんの昆虫標本を見ることもできます。

URL https://www.kumakogen.jp/site/omogo-sangaku/
住 〒791-1710　愛媛県上浮穴郡久万高原町若山650番地1　TEL 0892-58-2130　料 一般300円、小中学生150円　開 9：30～17：00
休 月曜日（月曜が祝日の場合、翌日）
※12～翌3月は冬期営業のため土日祝休

石鎚山に登ろう！

面河渓から石鎚山に登っていくと、いろいろな昆虫に出会えます。二ノ鎖までいくと、岩場の昆虫が見られます。山頂付近は、ふき上げられてくる昆虫が見られます。かなりの登山になるので、小学校高学年以上向きです。石鎚スカイラインでも昆虫を楽しめます。

愛大石鎚小屋～二ノ鎖（1 時間 30 分）

GOAL!

ササ原がつづきます。石をめくるとオサムシ類が観察できます。岩場では、ツマジロウラジャノメなどが見れらます。

登山口～愛大石鎚小屋（3 時間）

登山口から面河山までは急な道がつづきますが、そこでオニクワガタやツノクロツヤムシなどがいることがあります。それをすぎるとミズナラとブナの林が出てきて、ミドリシジミ類が観察できます。

フタスジカタビロハナカミキリ／カミキリムシ科

時期 5月　いるところ 林

ヤマシャクヤクの花の中で見つかることもあります。

関門～登山口（45 分）

START!

関門から渓泉亭・面河茶屋までの道では、渓流ぞいでアゲハチョウのなかま、建物の灯火でいろいろなガやコウチュウを観察することができます。

シコクトゲオトンボ／ヤマイトトンボ科

時期 6～7月

いるところ 渓流

※マムシに注意しましょう。

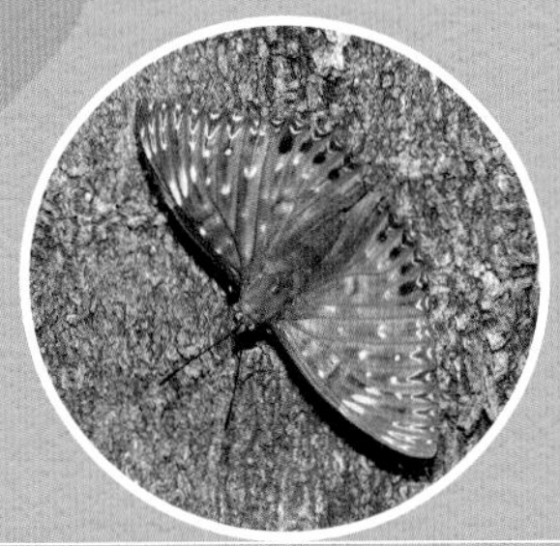

スミナガシ／タテハチョウ科

時期 5～9月

いるところ 林

樹液にきます。

ヒメキマダラヒカゲ／タテハチョウ科
時期 5～9月
いるところ ササやぶ
尾根付近によくいます。

イシヅチオサムシ／オサムシ科
時期 5～9月
いるところ ササやぶ
尾根付近によくいます。

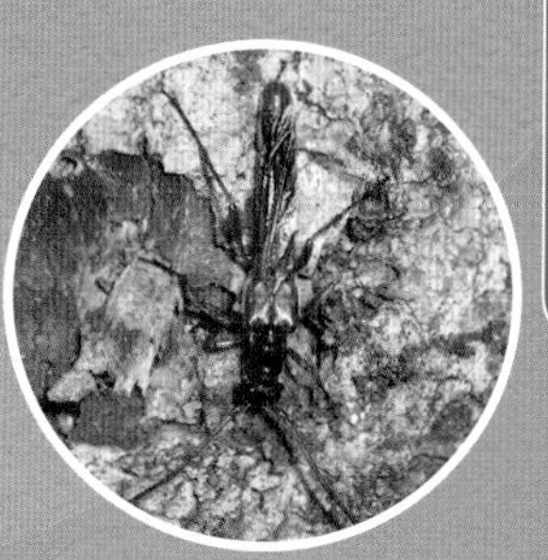

オオホソコバネカミキリ／カミキリムシ科
時期 7～8月
いるところ ブナ林など
白く枯れた木にいます。

タカネルリクワガタ／クワガタムシ科
時期 5～6月
いるところ ブナ林
ブナの新芽にきます。

フジキオビ／アゲハモドキガ科
時期 5～6月
いるところ 林
昼間に飛ぶガです。

ツノクロツヤムシ／クロツヤムシ科
いるところ 林の朽ち木
朽ち木の中から
ほとんど出てきません。

カラスアゲハ／アゲハチョウ科
時期 4～9月
いるところ 林など
花によくきます。

ミヤマクワガタ／クワガタムシ科
時期 7～8月
いるところ 林
あかりにきます。

キンスジコガネ／コガネムシ科
時期 7～8月
いるところ 林
葉の上にいます。

81種のトンボが見つかっている公園

トンボ王国

難易度 ★☆☆

●年間を通してトンボがいる公園

トンボ王国は【四万十川学遊館あきついお（トンボ館とさかな館）】と【四万十市トンボ自然公園】で構成されている世界初のトンボ保護区で、81種のトンボが見つかった日本一のトンボ保護区です。

年間を通してトンボたちがすみやすい環境づくりをしています。

園内は植物・昆虫の採集は禁止されています。ただし、採集するイベントもありますのでホームページを参照してください。

四万十川学遊館あきついお

世界のトンボ標本約1000種を展示する「とんぼ館」などがある、自然博物館です。

料大人880円　中高生440円、小人330円（4歳以上）

休月曜日（祝祭日の場合はその翌日）

URL www.gakuyukan.com

四万十市トンボ自然公園

園内は、里山の環境などが残っていて、生きた姿のトンボが観察できます。

料 無料

四万十川
為松公園
後川
四万十市役所
トンボ王国
赤鉄橋
ヤンマ橋
土佐くろしお鉄道
中村駅
渡川大橋
具同駅
中筋川
中村宿毛道路

トンボ王国までの時間

中村駅から車で約10分
具同駅から徒歩約15分
高知駅から車で約2時間

トンボ王国のトンボたち

トンボ王国には 81 種のトンボが見つかっていますが、一度に見ることはできず、環境ごとに、春、夏、秋、それぞれの季節にトンボがいます。

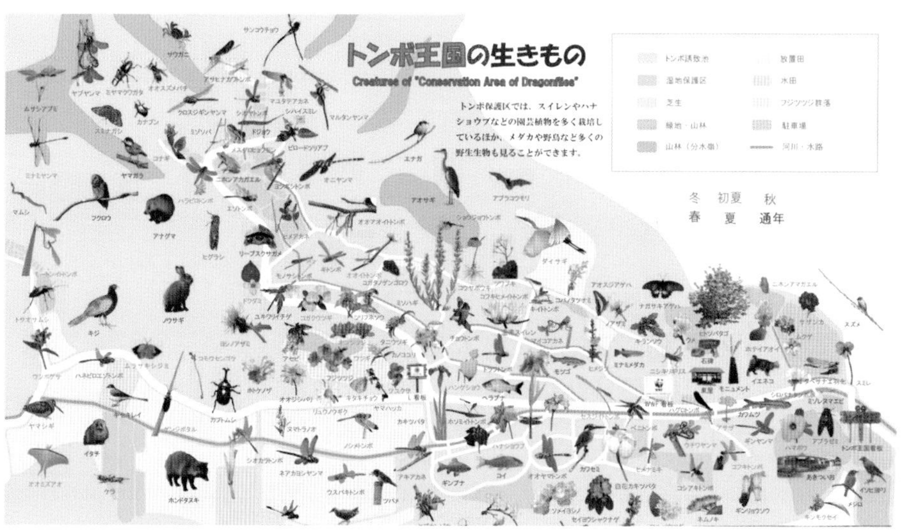

季節ごとに、場所ごとにトンボを観察しよう

季節、池や川、流れの緩急、林のあるなしで、見られるトンボが変わってきます。

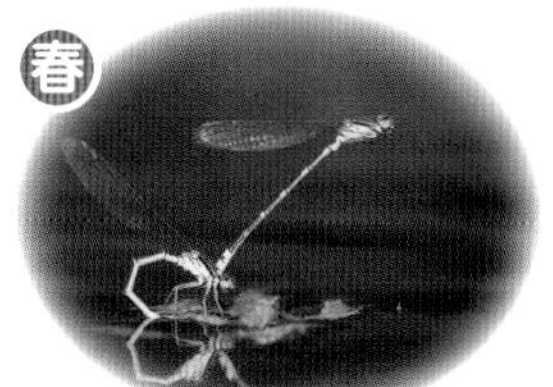

オオイトトンボ / イトトンボ科
時期 4～9月
いるところ 池の周辺

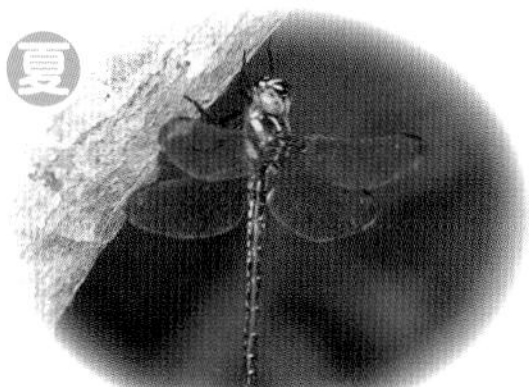

ネアカヨシヤンマ / ヤンマ科
時期 6～8月
いるところ 谷間、湿地など

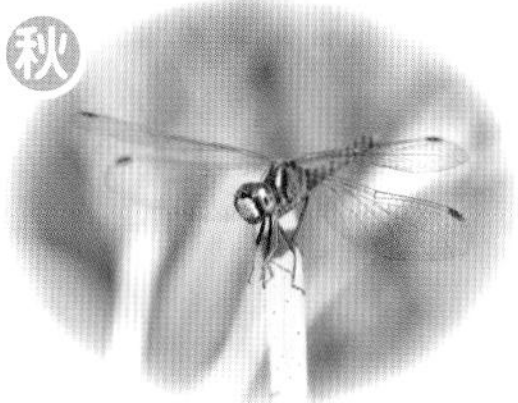

マイコアカネ / トンボ科
時期 7～11月
いるところ 湿地など

行ってみよう！

四万十川学遊館あきついお

トンボの標本だけでなく、アカメなど四万十川産魚種をメインに日本や世界の淡水・汽水魚約 300 種を飼育展示する「さかな館」からなる、自然博物館です。

四万十市トンボ自然公園でトンボを観察したあとにぜひ行ってみましょう。

中国・四国地方のそのほかの観察地

中国地方はなだらかな山が多く、雑木林が広がっています。また、地面がじめじめしている「湿地」があります。いい雑木林や湿地を見つけたら、見てみましょう。

一方四国は急な山や谷が多く、南部では林が深いので、山や林に立ち入るのではなく、道ぞいや集落で昆虫を観察しましょう。

恩原高原（岡山県）

難易度 ★☆☆

昆虫 ミドリシジミ類、ヒメシジミ、ジャノメチョウ類、クワガタムシなど **時期** 7月

恩原(おんばら)高原には絶滅が危惧されているウスイロヒョウモンモドキが管理されているので、観察することができます。また。まわりのカシワ林は昆虫が豊富です。

・岡山から車で2時間

鳥取砂丘

難易度 ★☆☆

昆虫 カワラハンミョウ、シロスジコガネなど

時期 6～9月

鳥取砂丘にすむ昆虫の多くは砂地に適応しています。ハマスズなど砂に擬態した昆虫を探してみましょう。夜にはシロスジコガネがライトにきます。採集禁止区域があるので注意。

・鳥取駅からバスで45分

三瓶山（島根県）

難易度 ★★☆

昆虫 ウスバシロチョウ、ミドリシジミ類、ヒョウモンチョウ類、クワガタムシなど

時期 5，7月

三瓶山(さんべさん)周辺にはギフチョウが生息するところがあります。またウスバシロチョウが4月に草地で観察できます。夏はクワガタムシが観察できます。

・松江から車で1時間20分

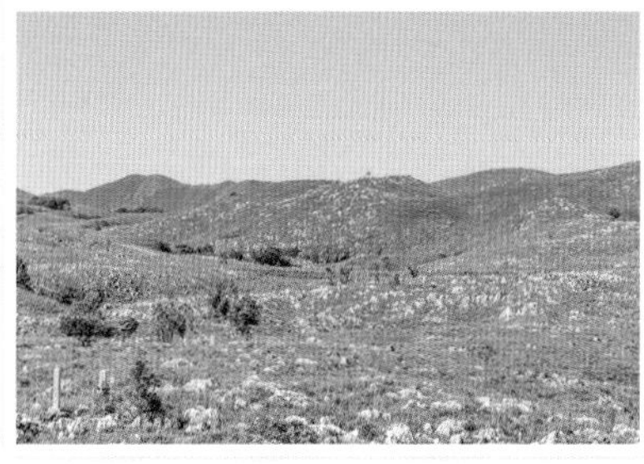

秋吉台（山口県）

難易度 ★★★

昆虫 オオウラギンヒョウモンなどのヒョウモンチョウ類

時期 7～8月

秋芳洞の上に広がる秋吉台には、草原が広がっています。そこではオオウラギンヒョウモンなどのヒョウモンチョウ類が見られます。

- **新山口駅から車で 40 分**

小豆島（香川県）

難易度 ★★☆

昆虫 ミドリシジミ類、クロツバメシジミ、カブトムシ、クワガタムシなど　**時期** 6～10月

島全体が林におおわれ、また高いところには岩場があります。岩場にはクロツバメシジミやホシミスジなどが見られ、雑木林でクワガタムシが見られます。

- **高松からフェリーで 1 時間 15 分**

海陽町（徳島県）

難易度 ★☆☆

昆虫 アゲハチョウ類、ルリシジミ類、トンボなど　**時期** 5、7～10月

集落周辺で5月連休中にミカドアゲハ、母川上流のトンボ公園で5月中旬から7月までハッチョウトンボ、9～10月にセンダングサでチョウが観察できます。

- **徳島から車で 2 時間 10 分**

瓶ヶ森（愛媛県）

難易度 ★★☆

昆虫 ミドリシジミ類、ツマジロウラジャノメ、カミキリムシなど　**時期** 5～8月

林道ぞいの林でミドリシジミ類とカミキリムシ、草地でジャノメチョウ類などが観察できます。また林道ぞいの岩場では、ツマジロウラジャノメが見られます。

- **松山から車で約 2 時間 10 分**

中国・四国地方の昆虫が見られる施設

中国・四国地方では、生きた昆虫を見られる施設はかぎられています。昆虫を楽しむ施設は博物館が中心になりますが、この地方の博物館は歴史を主体にしたものが多く、昆虫を展示している博物館は多くありません。そのほかに昆虫標本を展示している施設は、倉敷昆虫館、島根県立三瓶自然館サヒメル、愛媛県総合科学博物館があります。

広島市森林公園こんちゅう館

中国・四国地方で数少ない、生きた昆虫を一年中見られる施設です。10 種 500 頭以上のチョウが観察できるパピヨンドームをはじめ、外国産から広島県産の身近なものまで、いつでも生きた昆虫を展示しています。標本などの展示もあります。

URL http://www.hiro-kon.jp/
住 〒732-0036　広島市東区福田町字藤ヶ丸 10173
TEL 082-899-8964
料 大人 510 円　高校生・65 歳以上 170 円　中学生以下無料　開 9：00 ～ 16：30　休 水曜日

徳島県立博物館

徳島県の歴史・文化・自然を中心に展示した総合博物館です。この博物館では豊かな森林や河川、海洋に代表される徳島県の自然が一望できるようになっており、その景観の多様性をつくるもののひとつとして、徳島県の昆虫を展示しています。

URL https://museum.bunmori.tokushima.jp/
住 〒770-8070　徳島県徳島市八万町向寺山
TEL 088-668-3636
料 一般 400 円 高校・大学生 200 円 小・中学生 100 円　開 9：30 ～ 17：00　休 月曜日

愛媛大学ミュージアム

愛媛大学ミュージアムは、愛媛大学のこれまでの研究成果や収集物を地域に発信して、地域から信頼されて期待される大学を目指すための、交流拠点のひとつとしてつくられました。農学部の昆虫学教室は日本でも有数の研究室で、その研究の成果が見られます。毎年 8 月上旬に昆虫展を開催しています。

URL https://www.ehime-u.ac.jp/about/ehime-u-museum/
住 〒790-0826　愛媛県松山市文京町 3　愛媛大学　城北キャンパス
TEL 089-927-8293　料 無料　開 10：00 ～ 16：30　休 日曜日・祝日

九州・沖縄地方

あたたかい九州

九州はあたたかく、低地はカシやシイの照葉樹の林になり、ヒラタクワガタやミカドアゲハなどが見られます。一方、雑木林は標高の高いところにしかなく、ミドリシジミ類はおもに高い山で見られます。標高が高いところにはブナ林があり、ルリクワガタ類なども見られます。また阿蘇などには草原が拡がります。

亜熱帯の沖縄

沖縄では、低地には亜熱帯林が広がり、標高の高いところには照葉樹林が広がっています。島の成り立ちが古いため、照葉樹林には固有の昆虫がいます。

大都市福岡から近い

脊振山周辺

ふもとから山頂まで昆虫が豊富な脊振山

脊振山（せふりさん）は福岡や佐賀から近く、昆虫がとても多いところです。平地はアラカシなどの林が、山頂付近にはブナやアカガシの林があり、キリシマミドリシジミなどのおもしろい昆虫が多いところです。

時期は 4 ～ 8 月

春からいろいろな昆虫を観察できます。夏はクワガタムシが多くなり、またサツマシジミなども見られます。

脊振山周辺の地図

脊振山はふもとから昆虫観察ができますが、山頂付近には森林性の昆虫がすんでいるので、昆虫がとても多く、楽しい観察ができます。

ダムの周辺やふもとでさがそう

脊振山は、下の農村地帯から頂上付近まで、いろいろな環境があります。むやみに林の中に入らずに、ダムぞいの道や林道などで十分に昆虫観察が楽しめます。途中にある集落周辺でも観察できます。

ミヤマカラスアゲハ／アゲハチョウ科

時期　4～8月

いるところ　林の縁など

花と山頂にきます。

オナガアゲハ／アゲハチョウ科

時期　4～8月

いるところ　林の縁

よく花にきます。

ノコギリクワガタ／クワガタムシ科

時期　6～9月

いるところ　林

あかりによくきます。

オオミズアオ／ヤママユガ科

時期　5～7月

いるところ　林など

集落近くにもいます。

ヒラタクワガタ／クワガタムシ科

時期　6～9月

いるところ　林

樹液にいます。

山頂や峠でさがそう

山頂の手前にある駐車場と遊歩道にはアカガシとブナが生えており、キリシマミドリシジミやヤマキマダラヒカゲなどが観察でき、アカアシクワガタもいます。
山頂はせまいですが、下からふき上げられてきたチョウなどが見られます。

キリシマミドリシジミ / シジミチョウ科
時期 7～8月
いるところ 林など
表は黄緑に光ります。

ヤマキマダラヒカゲ / タテハチョウ科
時期 5～8月
いるところ 竹やぶなど
山頂付近によくいます。

アカアシクワガタ / クワガタムシ科
時期 6～9月
いるところ 林
樹液にもきます。

ミヤマクワガタ / クワガタムシ科
時期 6～8月
いるところ 林
あかりによくきます。

サツマシジミ / シジミチョウ科
時期 3～12月　いるところ 林など
山頂付近では、6～8月によく見られます。

不思議な自然と、不思議な昆虫

対馬

難易度
★★★

対馬は朝鮮半島と九州の間にあります。そのため、日本では対馬だけにしかいないチョウセンヒラタクワガタ、ツシマカブリモドキなどの大陸系の昆虫が見られます。また近くを対馬海流が流れているため、あたたかい地方にすむ昆虫がいたり、逆に本州の高原にすんでいる昆虫が平地にいたりなど、不思議な島です。

時期はチョウは6月初旬、クワガタムシ類は7～8月頃

多くのチョウは6月初～中旬に見られます。種類によって微妙に最盛期が異なります。

行ってみよう！

対馬博物館

対馬博物館は、おもに日本と朝鮮半島の通交の場所であった対馬の自然や歴史、文化、美術などを展示している総合博物館です。特別展で昆虫などの自然科学関係の展示を行う事がありますので、事前にホームページをご覧ください。

URL https://tsushimamuseum.jp/
住 〒817-0021　長崎県対馬市厳原町今屋敷 668-2
TEL 0920-53-5100
料 一般 550 円　高校・大学生 330 円　小中学生 220 円　開 9：30 ～ 17：00　休 木曜日

右下は、企画展で行われた相浦正信コレクション展の展示物（2022 年 4 月 30 日～ 2023 年 1 月 15 日）

対馬の地図

対馬では、集落周辺の方が昆虫観察にはむいています。道ぞいを注意深く見ていると、いろいろな昆虫を楽しめます。クロツバメシジミは海岸部に生えるツメレンゲやタイトゴメをさがすと見つかります。クワガタムシは集落周辺や道路わきのクヌギ林でさがしましょう。６月の夜にはゲンジボタルとヒメボタルが同じ場所で光り、秋にはアキマドボタルが光ります。島内は車で移動するのがよいでしょう。

対馬までの時間

福岡空港から飛行機で約 35 分
博多港からフェリーで約５時間

棹崎
佐須奈
比田勝
佐護
香ノ木山
307
458
琴
仁田
三根
佐賀
382
対馬
139
仁位
郷崎
黒島
対馬空港
阿連
太田崎
厳原
648
矢立山
豆酘崎
神崎

千俵蒔山山頂付近にエノキがあり、ゴマダラチョウが観察できる。まれにヒョウモンチョウ類が観察できる。

佐須奈から舟志までの道ぞいには林が広がり、森林性の昆虫が観察できる。

佐護と仁田の間にはトンネルがあるが、旧道を行くと、いろいろな昆虫に出会える。ただし、道は悪い。

琴の付近にはモミジ類が多く、６月にミスジチョウが高いところを飛ぶのが観察できる。

松原公園付近では草原性の昆虫が見られる。またクリの花にはいろいろな昆虫がくる。

阿連の港の北側の斜面で、クロツバメシジミが観察できる。

豆酘崎の遊歩道でウラジロミドリシジミなどのミドリシジミ類が観察できる。

クロツバメシジミ / シジミチョウ科

時期	4 ～ 10 月
いるところ	海岸の岩場

チョウセンケナガニイニイ / セミ科

時期	10 月中旬
いるところ	公園など

対馬のカツオ

対馬は魚やサザエなどの貝がとてもおいしいところですが、なかでも対馬近海で６月にとれるカツオは、赤身と脂身のバランスがよく、とてもおいしいカツオです。

山の上でさがそう

対馬の千俵蒔山(せんぴょうまきやま)には草原があります。山頂付近にはエノキが生えていて、そこでゴマダラチョウが観察できます。また６月初旬では、運がよければ、ヒョウモンチョウ類が観察できるかもしれません。

ゴマダラチョウ / タテハチョウ科

時期 ６〜７月　いるところ 林

山頂のエノキにいます。対馬の春型は、後ろばねが白くなります。

ウラギンスジヒョウモン / タテハチョウ科

時期 ６、10月　いるところ 草原

以前はよく見かけましたが、今は激減しています。

岬でさがそう

対馬は西日本にはめずらしく、カシワが海岸べりまで生えています。海岸のがけの上に生えているところもあります。そして、そのカシワにはウラジロミドリシジミなどのミドリシジミ類が発生し、夕方に飛ぶ姿が見られます。

アカシジミ / シジミチョウ科

時期 ５〜６月　いるところ 林など

クリの花にきます。夕方に飛びます。

ウラジロミドリシジミ / シジミチョウ科

時期 ６月　いるところ 林

林でさがそう

対馬は古来から貿易で発展して、集落周辺は開発が進んできていますが、一方で山の高さが低いのに、手つかずの林が多く残されています。また集落のまわりの林は、ほどよく管理されています。そのような林で多くの昆虫が観察できます。

ミスジチョウ / タテハチョウ科

時期　6～7月　いるところ　林

カエデが生えているところにいます。対馬のものは小さくなります。

ヒラタクワガタ / クワガタムシ科

時期　6～10月　いるところ　林

対馬のものは体が細く、大あごが長く、日本で最大になります。

公園でさがそう

対馬には公園がところどころにあります。公園には草地と木が入り混じっていて、昆虫が多いところです。クリの花がさいていたら、そこで昆虫をさがしましょう。また、道路のわきのみぞなどを見ると、オサムシ類が見つかるかもしれません。

ツシマカブリモドキ / オサムシ科

時期　4～6、8～10月　いるところ　林など

朝鮮半島系のオサムシです。

トラフヒトリ / ヒトリガ科

時期　5、8月　いるところ　公園など

8月はあかりにきます。

あたり一面に広がる草原とミズナラ林

くじゅう高原

難易度 ★☆☆

大分県にあるくじゅう連山のふもとに、くじゅう高原があります。

くじゅう高原にはブナ林、そしてそのまわりに草原が広がっていて、ところどころにカシワ林があります。そのため、クワガタムシやミドリシジミ類などの森林性の昆虫とヒョウモンチョウ類などの草原性の昆虫も観察することができます。また湿地や川があるので、トンボや水生昆虫の観察もできます。

●時期は７～８月

春にも観察が楽しめますが、夏の方が昆虫をたくさん楽しめます。

くじゅう連山にはブナ林などの広葉樹が広がり、森林性の昆虫が多くいます。ライトにはガも多くきます。

くじゅう高原の地図

くじゅう高原では、広葉樹林はくじゅう連山付近や飯田高原に広がります。草原は久住高原と長者原、地蔵原に広がっています。カシワ林にはミドリシジミ類などがいるので、観察しましょう。また、池のまわりや湿地などでは、トンボが観察できます。一日だけでも、多くの場所をまわるとたくさんの昆虫が観察できます。

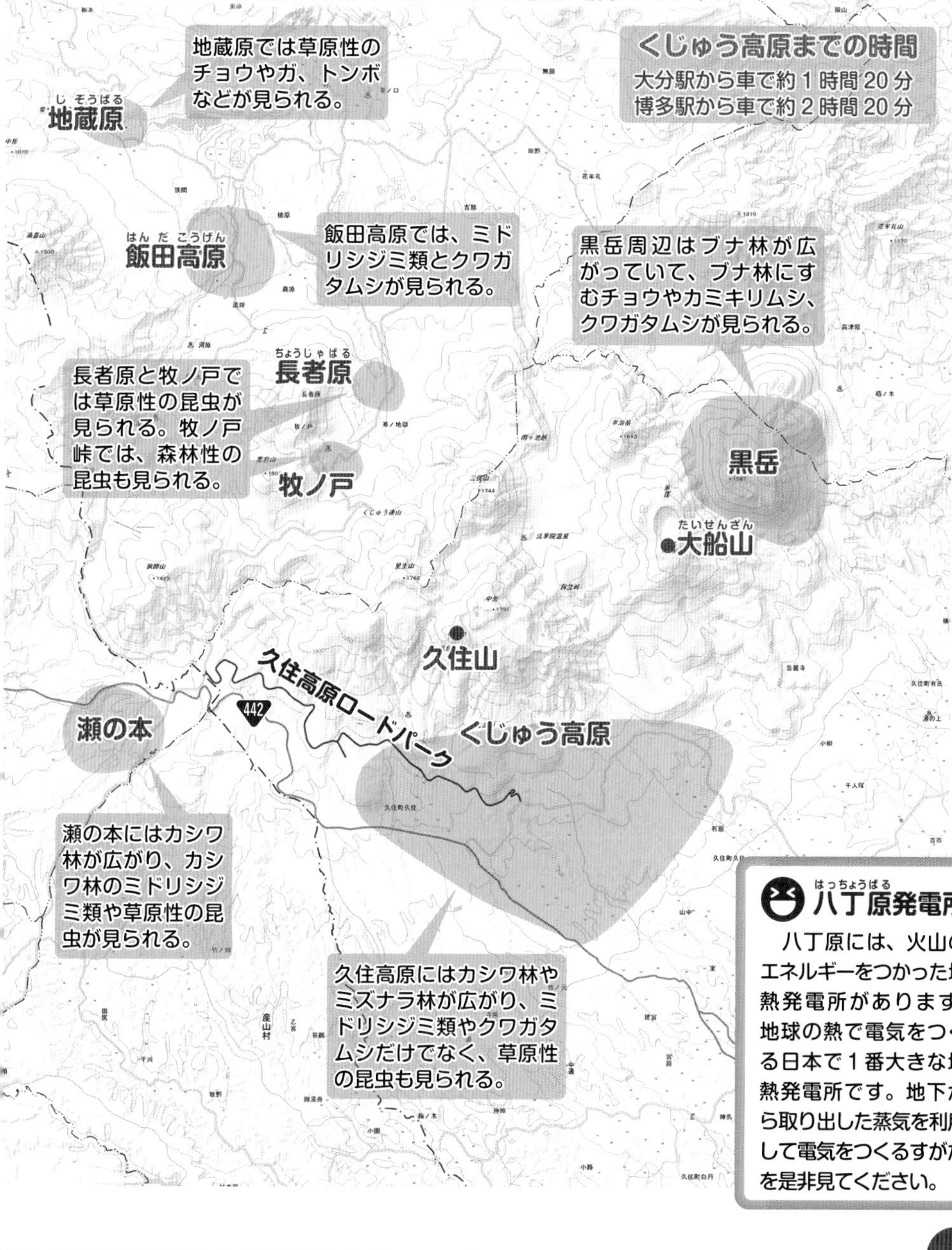

地蔵原では草原性のチョウやガ、トンボなどが見られる。
地蔵原（じぞうばる）
くじゅう高原までの時間
大分駅から車で約 1 時間 20 分
博多駅から車で約 2 時間 20 分
飯田高原（はんだこうげん）
飯田高原では、ミドリシジミ類とクワガタムシが見られる。
黒岳周辺はブナ林が広がっていて、ブナ林にすむチョウやカミキリムシ、クワガタムシが見られる。
長者原（ちょうじゃばる）
長者原と牧ノ戸では草原性の昆虫が見られる。牧ノ戸峠では、森林性の昆虫も見られる。
牧ノ戸
黒岳
大船山（たいせんざん）
久住山
久住高原ロードパーク
442
瀬の本
くじゅう高原
瀬の本にはカシワ林が広がり、カシワ林のミドリシジミ類や草原性の昆虫が見られる。
久住高原にはカシワ林やミズナラ林が広がり、ミドリシジミ類やクワガタムシだけでなく、草原性の昆虫も見られる。

八丁原（はっちょうばる）発電所

八丁原には、火山のエネルギーをつかった地熱発電所があります。地球の熱で電気をつくる日本で１番大きな地熱発電所です。地下から取り出した蒸気を利用して電気をつくるすがたを是非見てください。

峠や林道でさがそう

くじゅう連山の林は深いので、中に入って昆虫をさがすより、林道や峠でさがすほうがより観察しやすいです。樹液が出る木も、林道から探したほうが見つけやすくなります。林道や峠は人だけでなく、昆虫にとっても通りやすいのです。

アイノミドリシジミ / シジミチョウ科
時期 6～7月　いるところ 林
早朝に飛びます。めすは10月までいます。

エゾミドリシジミ / シジミチョウ科
時期 6～7月
いるところ 林
午後に飛びます。

シラホシカミキリ / カミキリムシ科
時期 5～7月
いるところ 林
白い花にきます。

ミヤマクワガタ / クワガタムシ科
時期 6～8月　いるところ 林
コナラやクヌギの林にいます。

オニクワガタ / クワガタムシ科
時期 7～8月　いるところ 林
樹液にはきません。木の幹などを歩いています。

草原でさがそう

くじゅう高原にある草原には、いろいろな昆虫がいます。花を見つけると、チョウやハナムグリなどの昆虫が見つかります。また草原にあるカシワ林にはミドリシジミ類やジャノメチョウ類が見つかります。湿地ではトンボが観察できます。

ウラギンヒョウモン / タテハチョウ科

時期 6～7月　いるところ 草原

花によくきます。

キマダラモドキ / タテハチョウ科

時期 7～8月　いるところ 草原など

草原だけでなく、カシワ林の中にもいます。

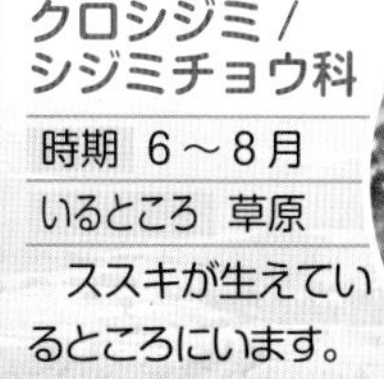

クロシジミ / シジミチョウ科

時期 6～8月

いるところ 草原

ススキが生えているところにいます。

キンモンガ / アゲハモドキガ科

時期 6～8月　いるところ 草原など

昼間に活動するガです。

※写真は本州産です。

マユタテアカネ / トンボ科

時期 6～12月　いるところ 池など

木陰があるような池や湿地にいます。

観光しながら昆虫が楽しめる

指宿周辺

難易度 ★★★

指宿付近は、昆虫に出会える環境が多く残っており、昆虫の観察には最適な場所です。とくに山頂付近の白い花などには、チョウをはじめとして、いろいろなカミキリムシなどが見られます。

●時期は 4 ～ 10 月

長い間、昆虫を楽しむことができます。とくに秋には南からきた迷チョウやアサギマダラを観察することができます。

東側から見た開聞岳。ふもとに一周路があり、いろいろな昆虫が楽しめます。しかし、山頂はせまく、昆虫観察はあまり楽しめません。

行ってみよう!

フラワーパークかごしま

フラワーパークかごしまは、花や植物でいっぱいです。蝶の森や蝶の館があり、蝶の森では、ツマベニチョウなどが観察できます。**園内は採集禁止**です。

URL https://www.fp-k.org/
住 〒891-0513
鹿児島県指宿市山川岡児ヶ水 1611 番地
TEL 0993-35-3333
料 高校生以上 630 円　小・中学生 310 円
開 9：00 ～ 17：00

オオゴマダラ

オオゴマダラのさなぎ

指宿周辺の地図

指宿付近は畑地が多く、また人工的な松林が多いので、昆虫がいるところがかぎられています。下に示したところと集落周辺が観察に向いています。

開聞岳までの時間
鹿児島中央駅から車で約1時間30分

千貫平(せんがんびら)の山頂付近の公園の、木にさく白い花でチョウやオキナワルリチラシなどのガ、カミキリムシなどが観察できる。

魚見岳のふもとの国民休暇村近くの小川で、トンボが観察できる。山頂には、チョウなどが飛んでくる。

大野岳の山頂付近で4月下旬、7、9月の夕方にスミナガシとアオバセセリが観察できる。迷チョウも見られる。

鷲尾岳の電波塔付近でアゲハチョウ類が観察できる。

鰻(うなぎ)で有名。チョウ、夏はカブトムシが観察できるが、少ない。

尾下(おさがり)集落付近で、チョウなどが観察できる。

唐船峡(とうせんきょう)

フラワーパークかごしま

開聞岳の一周路でいろいろなチョウやガなどが観察できる。クワガタムシもいる。

知覧IC
中名駅
JX喜入石油
喜入駅
指宿スカイライン
指宿枕崎線
前之浜駅
鍋子尾山
唐杖岳
鹿児島市
尾巡山
喜入のリュウキュウコウガイ産地
生見駅
観音崎
薩摩半島
薩摩今和泉駅
三岳山
宮ヶ浜駅
小島
知林ヶ島
田良岬
魚見岳
大野岳
烏帽子岳
清見岳
指宿市
池田湖
鹿児島（錦江湾）
指宿駅
荷辛路峠
頴娃駅
矢筈岳
鷲尾岳
鰻池
鍋島岳
大山崎
山川駅
山川
金比羅鼻
開聞駅
東開聞駅
薩摩川尻駅
西大山駅
大山駅
花瀬崎
開聞岳
田ノ崎
ソテツ自生地
俣川洲
開聞温泉
脇崎
開聞崎
赤水鼻
長崎鼻

唐船峡

唐船峡(とうせんきょう)は湧水が出る谷で、その湧水を利用した市営唐船峡そうめん流し、長寿庵などのそうめん流しを売りにした食堂があります。きれいな湧水で飼ったコイからつくった鯉こくや鯉の洗いは臭みがなく、とてもおいしいものです。

開聞岳でさがそう

開聞岳の南のふもとにある一周路には、カシやシイなどの照葉樹林があります。そこではクワガタムシが観察できますが、樹液を見つけるのがむずかしいので、トラップをかけたほうがいいでしょう。さいている花をさがすとカラスアゲハなどのチョウ、カミキリムシなどが見られます。

カラスアゲハ / アゲハチョウ科
時期　4、7、9月　いるところ　林の縁など
春はヒメジョオンの花などにきます。

サツマニシキ / マダラガ科
時期　8～10月
いるところ　林など
高いところを飛びます。花によくきます。

ジャコウアゲハ / アゲハチョウ科
時期　3～10月
いるところ　林の縁など
春が多く、夏は少なくなります。

エグリトラカミキリ / カミキリムシ科
時期　5～7月　いるところ　林
キイチゴ類の花などにきます。

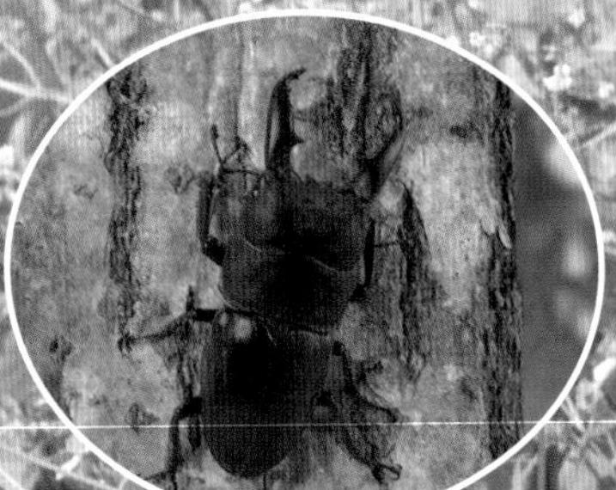

ヒラタクワガタ / クワガタムシ科
時期　6～10月　いるところ　林
タブノキなどの樹液にきます。

山頂でさがそう

大野岳、千貫平の山頂付近には昆虫がよく集まります。大野岳では、山頂でなわばりを張るものが見られます。千貫平では、白い花にくるものが見られます。また大野岳、鷲尾岳の山頂では、ミヤマカラスアゲハなどのアゲハチョウ類も見られます。

スミナガシ / タテハチョウ科

時期 4～9月
いるところ 林など
夕方に山頂にやってきます。

オキナワルリチラシ / マダラガ科

時期 6～9月
いるところ 林など
白い花にきます

メスアカムラサキ / タテハチョウ科

時期 7～10月
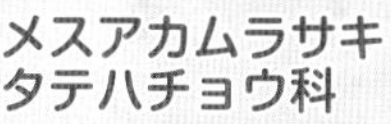
いるところ 山頂など
秋に多く見られます。南方からくる迷チョウ。

ヤクシマルリシジミ / シジミチョウ科

時期 2～12月
いるところ 林など
集落周辺にもいます。山頂によく集まります。

アオバセセリ / セセリチョウ科

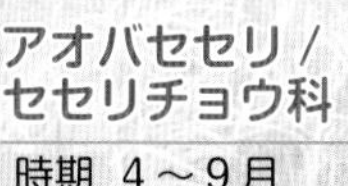
時期 4～9月
いるところ 林の縁など
山頂によく集まります。白い花によくきます。

サツマシジミ / シジミチョウ科

時期 2～12月
いるところ 林の縁など
夏は山頂でよく見かけます。春は低地にいます。

世界遺産の森林を昆虫で楽しもう

沖縄島

沖縄島はあたたかく、昆虫が豊富にいます。しかも、この島周辺にしかいない昆虫が多くいます。

南部でも昆虫は多く見られますが、沖縄市より北の方が、おもしろい昆虫が多く見られます。そこには、カラスアゲハやミカドアゲハ、カブトムシ（本土とは異なる沖縄島亜種）などがいます。集落周辺で昆虫を観察するのもよし、林道に入って昆虫を観察するのもよし、一日観察してもあきないところです。北部やんばるの壮大な景色も見ましょう。

北部に広がる「やんばるの森」です。うっそうと茂った森は、亜熱帯林ではなく、実は照葉樹林です。

沖縄島の地図

ここにあげたところは、非常に昆虫が観察しやすいところです。それ以外にも車でまわって、花のさいた垣根のある集落などで昆虫をさがしましょう。

沖縄島までの時間
羽田空港から飛行機で約3時間

100円そば

沖縄には弁当を売っている雑貨屋、弁当屋があります。そこでカップ入りの100円の沖縄そばが売っていることがあります。

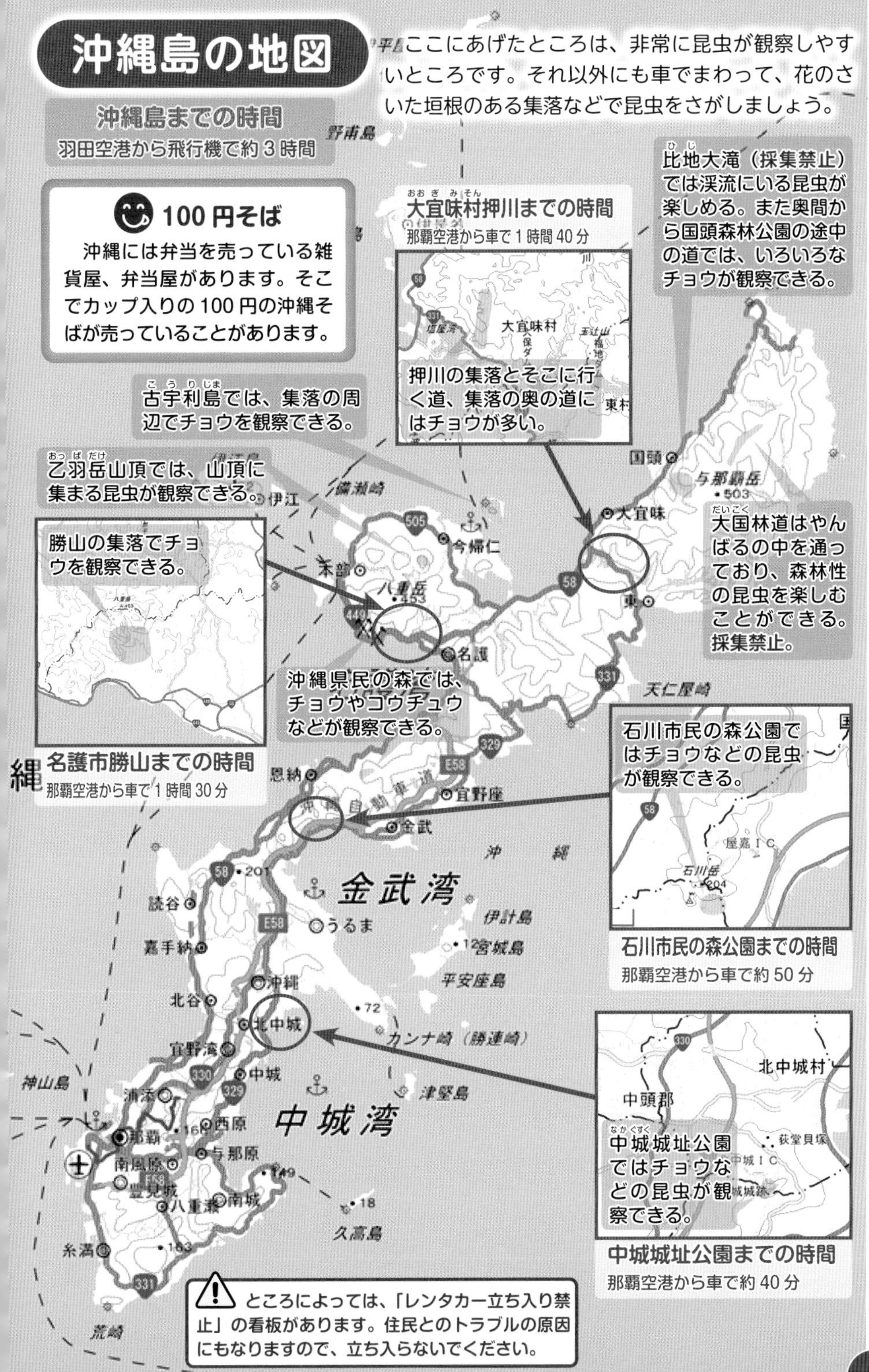

古宇利島では、集落の周辺でチョウを観察できる。

乙羽岳山頂では、山頂に集まる昆虫が観察できる。

勝山の集落でチョウを観察できる。

名護市勝山までの時間
那覇空港から車で1時間30分

大宜味村押川までの時間
那覇空港から車で1時間40分

押川の集落とそこに行く道、集落の奥の道にはチョウが多い。

比地大滝（採集禁止）では渓流にいる昆虫が楽しめる。また奥間から国頭森林公園の途中の道では、いろいろなチョウが観察できる。

大国林道はやんばるの中を通っており、森林性の昆虫を楽しむことができる。採集禁止。

沖縄県民の森では、チョウやコウチュウなどが観察できる。

石川市民の森公園ではチョウなどの昆虫が観察できる。

石川市民の森公園までの時間
那覇空港から車で約50分

中城城址公園ではチョウなどの昆虫が観察できる。

中城城址公園までの時間
那覇空港から車で約40分

ところによっては、「レンタカー立ち入り禁止」の看板があります。住民とのトラブルの原因にもなりますので、立ち入らないでください。

集落周辺でさがそう

沖縄の集落では、ハイビスカスなどの花を植えていて、チョウなどが多く見られます。また人家のクチナシにはイワカワシジミなどが見られます。道ぞいのセンダングサなどでも昆虫が観察できます。

地元の人に会ったらあいさつをしましょう。車は通行のじゃまにならないように、止めましょう。

ナガサキアゲハ／アゲハチョウ科

時期	3～11月
いるところ	集落など

集落に多くいます。

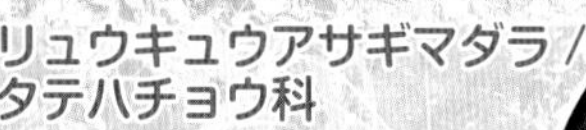

リュウキュウアサギマダラ／タテハチョウ科

時期	3～11月
いるところ	林の縁など

よく花にきます。

イワカワシジミ／シジミチョウ科

時期	3～11月
いるところ	集落周辺

見つけにくいチョウです。おすの表は青色です。

ベニトンボ／トンボ科

時期	3～10月
いるところ	池のまわり

紅色に光ります。

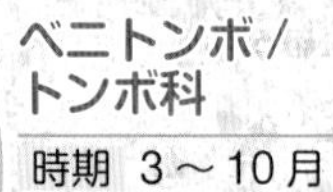

ツマベニチョウ／シロチョウ科

時期	3～11月
いるところ	林の縁など

ハイビスカスなどの花によくきます。

アオムネスジタマムシ／タマムシ科

時期	6～8月
いるところ	林など

海岸付近の林に多くいます。

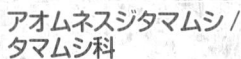

公園でさがそう

沖縄島の中北部にある公園は、集落にいる昆虫だけでなく、森林が近くにあるので、森林性の昆虫も観察できます。水辺がある公園では、トンボが観察できます。公園は、カラスアゲハやアゲハチョウ類の観察にむいている場所です。

キョウチクトウスズメ / スズメガ科
時期 5～10月
いるところ 公園など
キョウチクトウを植えているところにいます。

アオタテハモドキ / タテハチョウ科
時期 3～11月
いるところ 草地など
草丈の低い草地にいます。

カラスアゲハ / アゲハチョウ科
時期 3～10月
いるところ 林の縁など
本土のものとは、色などがちがいます。

キオビエダシャク / シャクガ科
時期 3～11月 いるところ 集落など
昼間に飛ぶガで、花によくきます。

オオハラビロトンボ / トンボ科
時期 5～11月 いるところ 池のまわり
うす暗いところにいます。おすは赤くなります。

やんばるでさがそう

沖縄島の北には、やんばる（山原）の森が広がっています。比地大滝や大国林道などでは、やんばるならではの昆虫を見ることができます。クワガタムシなどもいますが、採集禁止の種があり、また国立公園の特別保護区域に指定されている区域もあるので、観察だけにしましょう。**車は通行のじゃまにならないように止めましょう。バナナトラップもやめましょう。**

ハグルマヤママユ / ヤママユガ科

時期　3月末～10月　いるところ　林など

あかりによくきます。

リュウキュウウラボシシジミ / シジミチョウ科

時期　3～10月

いるところ　渓流ぞいなど

比地大滝などで見られます。花にきます。

カブトムシ（沖縄島亜種）/ コガネムシ科

時期　6～8月　いるところ　林

本土のものよりつのが小さくなります。

コブナナフシ / シジミチョウ科

いるところ　林など

集落でも見ることがあります。葉を食べます。

リュウキュウハグロトンボ / カワトンボ科

時期　2～12月　いるところ　渓流ぞいなど

はねに金属のようなかがやきがあります。

城跡でさがそう

沖縄島には城跡が多くあります。城跡のいくつかは公園になっていて、昆虫の観察にとてもむいており、フタオチョウなどのめずらしいチョウが観察できます。

フタオチョウ / タテハチョウ科
時期 3月末～9月 いるところ 林の縁など
中城城址でよく見られます。採集禁止です。

オオゴマダラ / タテハチョウ科
時期 3～11月 いるところ 林の縁など
花によくきます。

林道に行ってみよう

集落から山に入る山道があることがあります。そのような道を行くと、林にすむ昆虫が観察できます。草地などではリュウキュウウラナミジャノメがいます。

ナナホシキンカメムシ / キンカメムシ科
時期 3～12月
いるところ 林など
ほとんどの場合、集団で生活します。

リュウキュウウラナミジャノメ / タテハチョウ科
時期 6、9～10月
いるところ 林の中の草地など
島の中北部にいます。

コノハチョウ / タテハチョウ科
時期 3～11月 いるところ 林
樹液などにきます。採集禁止です。

亜熱帯の森林と花いっぱいの島で昆虫を楽しもう

石垣島・西表島

難易度 ★☆☆

石垣島・西表島では一年中昆虫を観察することができます。チョウは暑い夏には数が減り、秋や春に多くなります。一方、クワガタムシは夏が観察にいい時期です。

採集できない場所があったり、採集できない種類がいるので、気をつけましょう。石垣島では、**ヤエヤマノコギリクワガタとヤエヤママルバネクワガタ、チャイロマルバネクワガタは採集禁止です。**

ここにも行ってみよう！

バンナ公園世界の昆虫館

ここにはチョウを中心に、世界の昆虫が展示されています。また、公園内ではチョウなどの昆虫の観察ができます。

住 〒907-0004　石垣市字登野城 2241-1
TEL 0980-82-6993（公園管理事務所）
休 月・木曜日　料 大人 400 円、子供 200 円

石垣島・西表島の地図

石垣島までの時間

那覇空港から飛行機で１時間
羽田空港から飛行機で３時間30分

石垣島

石垣島では、川平などの集落や万勢山、屋良部岳などの山で観察するのがいいでしょう。また、野底林道でクワガタムシを観察、嵩田林道では森林性の昆虫を観察できます。嵩田林道は一部が保護区域になっており、採集禁止になっています。

保崎
川平など、島の北側の集落でチョウが観察できる。
屋良部岳の周辺の道路でチョウなどの昆虫が観察できる。
野底林道では、クワガタムシが観察できる。
嵩田林道では、チョウをはじめとして、森林性の昆虫が観察できる。
於茂登岳
526
野原崎
万勢山の登山口から山頂まで、いろいろな昆虫が観察できる。山頂にはチョウが集まる。
バンナ公園世界の昆虫館
石垣島
富崎（観音埼）
390
バンナ岳の入り口から世界の昆虫館まで、チョウが観察できる。山頂付近でコウチュウも観察できる。
石垣
小浜島
竹富

西表島

西表島は、カンピレーの滝に行く途中の道で森林性の昆虫と渓流にいる昆虫を見ることができます。白浜林道で内陸に行くことはできますが、昆虫はあまり見ることができません。

秋にこの付近にさくセンダングサの花で、いろいろなチョウが観察できる。
民宿カンピラ荘
ウナリ崎

西表島大原港までの時間

石垣港から船で約50分

由布島に温室でチョウが見られる『蝶々園』がある。
https://yubujima.com/
外離島
古見岳
441
469
白浜の集落でチョウなどが観察できる。
西表島
小浜島
白浜林道入り口から林道が続き、島の内陸まで入ることができるが、昆虫は少ない。
バイミ崎
船着き場からカンピレーの滝までの間で、いろいろな昆虫が観察できる。
仲間川ぞいの林道のゲート前まででいろいろな昆虫が観察できる。ゲートの先は入林許可が必要。
竹盛旅館

集落周辺でさがそう

色あざやかな昆虫がいて、南国らしい雰囲気が味わえます。集落にはハイビスカスなどの花を植えた垣根があり、そこできれいなチョウなどが観察できます。また花をよく見ると、コウチュウがいることがあるのでよく見てみましょう。**地元の人に会ったらあいさつをしましょう。車は通行のじゃまにならないようにとめましょう。**

ベニモンアゲハ／アゲハチョウ科
時期　2～11月
いるところ　集落など
花によくきます。

ツマベニチョウ／シロチョウ科
時期　3～11月　いるところ　林の縁など
高いところを飛びます。花によくきます。

カバマダラ／タテハチョウ科
時期　一年中
いるところ　集落など
墓によくいます。花によくきます。

オオミドリサルハムシ／ハムシ科
時期　4～10月
いるところ　集落周辺など
金属のようなかがやきがあります。

オキナワチョウトンボ／トンボ科
時期　3～11月
いるところ　池のまわり
自然が残る池のまわりにいます。

⚠ **ところによっては、「レンタカー立ち入り禁止」の看板があります。住民とのトラブルの原因にもなりますので、立ち入らないでください。**

林道でさがそう

集落付近の昆虫の観察で楽しんだあとは、山を通る林道に行きましょう。八重山列島の昆虫は、実は森林性の昆虫がおもしろく、八重山列島が大陸や台湾からはなれたときからいた昆虫が多くいます。森林性の昆虫で海をわたってきたのはほとんどいません。八重山列島固有の昆虫もいます。**バナナトラップはやめましょう。**

アサヒナキマダラセセリ / セセリチョウ科

時期　4月末～5月

いるところ　林など

於茂登岳の周辺で見られます。**採集禁止です。**

クロカタゾウムシ / ゾウムシ科

時期　5～10月

いるところ　林

前ばねがとてもかたくなっています。

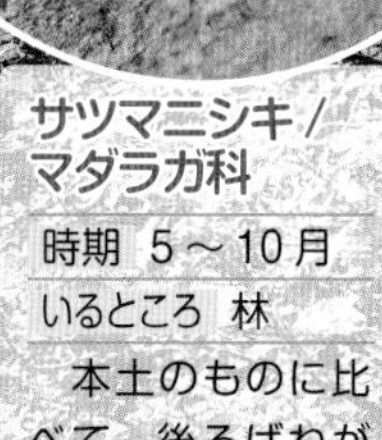

サツマニシキ / マダラガ科

時期　5～10月

いるところ　林

本土のものに比べて、後ろばねが白くなります。

ヤエヤマイチモンジ / タテハチョウ科

時期　2～11月

いるところ　林の縁など

花にきます。木の上をはやく飛びます。

ミカドアゲハ / アゲハチョウ科

時期　2～11月

いるところ　林の縁など

地面で水を吸っていることがあります。

ヨツメオサゾウムシ / オサゾウムシ科

時期　3～6月　いるところ　林など

ゲットウなどの葉を食べます。

西表島に行ってみよう

西表島にはうっそうとした森林が残っています。中に入ることはなかなかできませんが、カンピレーの滝に行く途中などで、林の中に入ることができます。そこで見る昆虫は種類が多く、楽しい昆虫観察ができます。**バナナトラップはやめましょう。**

マサキウラナミジャノメ / タテハチョウ科

時期　3～11月

いるところ　林の縁など

草地にいます。

リュウキュウウラボシシジミ / シジミチョウ科

時期　3～11月

いるところ　渓流ぞいなど

小さなチョウです。

ヒラタクワガタ / クワガタムシ科

時期　6～10月

いるところ　林

八重山列島産は体が太くなります。

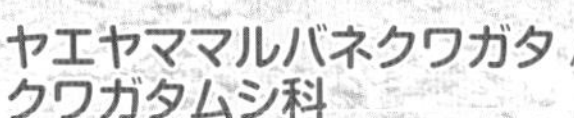

ヤエヤマママルバネクワガタ / クワガタムシ科

時期　9～10月　いるところ　林

原生林にいます。夜行性です。

ヤエヤマノコギリクワガタ / クワガタムシ科

時期　6～10月　いるところ　林

集落近くに多くいます。

山頂でさがそう

石垣島の広場がある山頂には、ふもとからいろいろな昆虫がのぼってきます。メスアカムラサキやスミナガシなど、なかなか見られないチョウがやってきます。

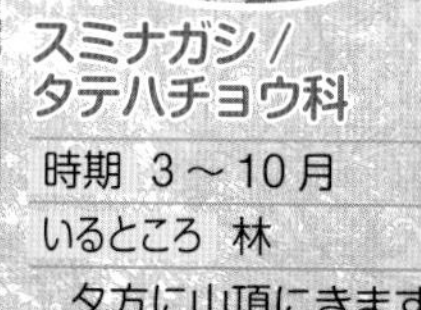

スミナガシ／タテハチョウ科

時期　3～10月

いるところ　林

夕方に山頂にきます。

メスアカムラサキ／タテハチョウ科

時期　6～11月

いるところ　集落周辺など

秋に多くなります。おすは山頂にきます。

ここに泊まろう！

竹盛旅館

「旅館」という名ですが、民宿です。沖縄のおいしい料理が出され、昆虫好きが泊まる宿なので、観察場所などの情報も手に入ります。

URL https://www.takemori-inn.net/
住 〒907-1433　沖縄県八重山郡竹富町南風見仲36-5
TEL 0980-85-5357

民宿カンピラ荘

この民宿も昆虫好きが泊まる宿で、情報が手に入ります。夕食はありませんが、近くのスーパーでお弁当を買って、沖縄にひたるのも旅の楽しみ方のひとつです。

URL http://www.kanpira.com/
住 〒907-1541　沖縄県八重山郡竹富町字上原 545
TEL 0980-85-6508

そのほかの九州・沖縄の観察地

九州は、カシやシイなどの照葉樹林とその上のブナ林がおもしろい観察地です。いい照葉樹林の沢には春にスギタニルリシジミがいます。また広大な草原も自衛隊演習地などでいたるところに残っています。クワガタムシはヒラタクワガタが多いところです。南の島も楽しい昆虫観察ができます。

英彦山（福岡・大分県）

難易度 ★★☆

昆虫 アゲハチョウ類、ミドリシジミ類、ガ類、クワガタムシ、カミキリムシなど

時期 7～8月

英彦山(ひこさん)はふもとが広く、いろいろな道、林道があります。標高の高いところにある道に入るとミドリシジミ類、カミキリムシなどが見られます。

博多駅から車で約1時間40分

多良岳（佐賀・長崎県）

難易度 ★★☆

昆虫 スギタニルリシジミ、カミキリムシ類など

時期 4、6～8月

4月初中旬に鹿島市奥山の沢などでスギタニルリシジミを見ることができます。夏はカミキリムシ、クワガタムシが観察できます。

・長崎駅から車で約1時間30分

阿蘇（熊本県）

難易度 ★★☆

昆虫 オオルリシジミ（5月中旬）、ゴマシジミ（8月）、ふんにくるコウチュウなど

時期 5～8月

阿蘇は広大な草原が広がっているところです。オオルリシジミは阿蘇の南部、ゴマシジミは中央部に多くいます。**いずれも採集禁止です。**

・熊本駅から車で約1時間20分

内大臣（熊本県）　難易度★★★

昆虫 アゲハチョウ、シジミチョウ類、タテハチョウ類、カミキリムシなど
時期 7月

内大臣(ないだいじん)は、うっそうとした照葉樹林が広がります。そこにはミドリシジミ類のほか、ルリシジミ類、カミキリムシなど、いろいろな昆虫がいます。

- **熊本駅から車で約1時間10分**

綾渓谷～小林市須木（宮崎県）　難易度★★★

昆虫 スギタニルリシジミ（4月）、タテハチョウ類、カミキリムシなど　**時期** 4、6～8月

綾渓谷には照葉樹林が広がり、照葉樹林でふつうに見られる昆虫を観察することができます。小林市須木まで行くと、7月からオオムラサキを観察できます。

- **宮崎駅から車で約1時間**

霧島山（宮崎・鹿児島県）　難易度★★

昆虫 ミドリシジミ類、ヒョウモンチョウ類など
時期 7～8月

栗野岳周辺から牧場付近、高千穂河原から皇子原、御池などで昆虫を観察できます。高千穂峰にはいろいろな昆虫がふき上がってきます。

- **鹿児島中央駅から車で約1時間30分**

奄美大島（鹿児島県）　難易度★

昆虫 アゲハチョウ類、クワガタムシ、カミキリムシなど　**時期** 6～8月

世界自然遺産になっている島です。この島と徳之島にしかいないクワガタムシが数種類います。**この島では採集禁止のところがあり、バナナトラップはできません。**

- **鹿児島空港から飛行機で約1時間**

九州・沖縄の昆虫が見られる施設

九州・沖縄には、生きた昆虫がいつも見られる施設はほとんどありません。そのかわり博物館が多くあり、そこで昆虫の標本を見ることができます。多くは日本国内や県内の昆虫を展示していますが、なかには世界の昆虫を扱っている博物館もあります。このほかに、北九州市立いのちのたび博物館や宮崎総合博物館もあります。

たびら昆虫自然園

昆虫一般がわかる昆虫館、水辺、畑、草地、林に分かれた観察ゾーンがあります。昆虫館で昆虫を勉強して、観察ゾーンで昆虫を見て、また昆虫館で昆虫を見直すという施設のつくりになっています。昆虫館には世界の昆虫の標本も展示されています。

URL https://www.hira-shin.jp/tabira-insect-park/
住 〒859-4823　長崎県平戸市田平町荻田免 1628-4
TEL 0950-57-3348　料 高校生以上 410 円
小中学生 310 円　幼児 150 円　開 9:00 ～ 17:00　休 月曜日

鹿児島県立博物館

南北に長い鹿児島県の歴史、文化、自然を展示している博物館です。霧島山から大隅半島、屋久島、奄美群島など、鹿児島県の自然がわかるように展示されています。昆虫の標本も多く展示されており、鹿児島県の昆虫のおもしろさがわかります。

URL https://www.pref.kagoshima.jp/hakubutsukan/
住 〒892-0853　鹿児島市城山町 1 番 1 号
TEL 099-223-6050
料 無料　開 9:00 ～ 17:00　休 月曜日

沖縄県立博物館・美術館（おきみゅー）

博物館と美術館が併設されており、沖縄の自然や歴史・文化・芸術を一度に鑑賞することが出来ます。博物館常設展の自然史部門では、琉球列島の成り立ちや、独自の進化をとげた生き物の世界を、ジオラマや標本で紹介しています。

URL https://okimu.jp/
住 〒 900-0006　沖縄県那覇市おもろまち 3-1-1
TEL 098-941-8200　料 一般 530 円　大高生 270 円
県外小中 150 円　開 9:00 ～ 18:00（火～木）、9:00 ～ 20:00（金・土）　休 月曜日、その他

海外の虫旅

日本の愛好家がよく行った台湾と東南アジア

世界には昆虫がおもしろいところがたくさんあります。アフリカや南アメリカなど、そこでしか見られない昆虫がたくさんいるところがあります。日本の愛好家たちは東南アジアや台湾によく行っていました。近くて旅費が安かったことと、情報がたくさんあったからです。とくに台湾は日本が統治していた時代があり、日本語が通じたので、多くの愛好家が出かけました。

行きやすくなった海外

今は社会主義国のベトナムや中国などに行くことができるようになり、海外旅行が身近になってきました。その一方で、以前は日本人がよく昆虫採集に行っていたタイでは環境が悪くなったため、昆虫観察に適した場所が減りました。また、フィリピンなどのように治安が悪くなり昆虫のいる場所に入りづらくなった国や、昆虫を採集禁止にした国もあります。

台湾とマレーシアで昆虫観察

台湾とマレーシアはいい環境が残っていて、昆虫がたくさんいます。また、国内の治安がいいので、観察地へも安心して行け、行動できます。台湾やマレーシアに行ったら、昆虫観察も楽しんでください。

日本から近くて、昆虫がとても多い

台湾・埔里

難易度 ★☆☆

台湾の埔里（Puli）は台湾のほぼ中央にあり、大きな盆地になっています。日本統治時代から昆虫採集で有名で、「ホリシャ」という和名がついた昆虫が多くいます。

埔里のまわりの森林や、眉渓ぞいに川をのぼっていき、仁愛までの渓谷、南山渓などのわきの渓谷などで昆虫を観察することができます。暖帯系と亜熱帯系、熱帯系が入り混じった昆虫が見られます。

台湾は日本が統治した時代があり、そのときに日本語を覚え、はなせた人がいましたが、今はかなり少なくなりました。

埔里には台湾地理中心塔など、観光地が多くあります。台湾の先住民族が多くすんでいて、昆虫と一緒に、台湾の歴史や風土などを学べます。

台湾の地図

台湾の中央部には日本の富士山より高い山があり、けわしい地形をしています。山奥にある都市の林道などで昆虫を観察します。

ただし、国家で保護している昆虫や、国立公園内標高 1000m 以上では採集禁止です。

埔里

埔里付近の林、獅子頭渓、南山渓や仁愛などで昆虫を観察することができる。

桃園空港から埔里まで
車で約 2 時間 10 分
公共機関で約 3 ～ 4 時間

日月潭

日月潭付近の林で、チョウやクワガタムシなどを観察できる。あかりがあったら夜がねらい目。

桃園空港から日月潭まで
車で約 2 時間 30 分
公共機関で約 3 時間

台南

台南の龍崎區、将軍區、新化區では普通種を見ることができる。

桃園空港から台南まで
車で約 3 時間
公共機関で約 3 時間

烏來

烏來温泉から拉拉山の方に奥にはいるといい自然林が残っており、いろいろな昆虫が観察できる。

桃園空港から烏來まで
車で約 1 時間
公共機関で約 3 時間

⚠ 台湾では昆虫の採集禁止の場所が非常に多くあります。採集する場合には、事前に調べてください。国立公園内と、基本的に公園になっているところは採集禁止です。また、種指定で採集禁止になっている昆虫もいます。

※台湾では国際免許証が使えません。運転免許証の中国語翻訳文を取得する必要があります。

くわしくは、下記のホームページをご覧ください。

URL https://www.koryu.or.jp/consul/drivers/detail1/

埔里にいる昆虫

台湾は日本より国土がせまいですが、チョウの種類だけでも日本を大きく上回っているくらい、昆虫の種類が豊富です。埔里付近では、人家の周辺でも昆虫を見かけますが、眉渓（埔里を流れる川）の上流に入り、沢ぞいの道にはいると、とても多くの昆虫を見ることができます。とくに獅子頭渓はおすすめです。

コモンタイマイ
アオスジアゲハのなかまです。

ウラフチベニシジミ

ハナムグリの１種

ツノゼミの１種

ナガサキアゲハ

ルリマダラ

メスシロキチョウ

カバシタアゲハ

ヨナグニサン
日本では、与那国島にいます。

シロミスジ

ホッポアゲハ
カラスアゲハに近いアゲハチョウです。

オオベニモンアゲハ

タイワンタマオシコガネ
動物のふんにきます。

アカスジベッコウトンボ

アサクラアゲハ
アオスジアゲハのなかまです。

アカネシロチョウ

林道でさがしてみよう

台湾の森林は茂っていて、なかなか中には入れません。しかし、運よく樹液を見つけたら、クワガタムシなどが見つかるかもしれません。また、カミキリムシやタマムシなどが多くいて、とても楽しい観察になります。

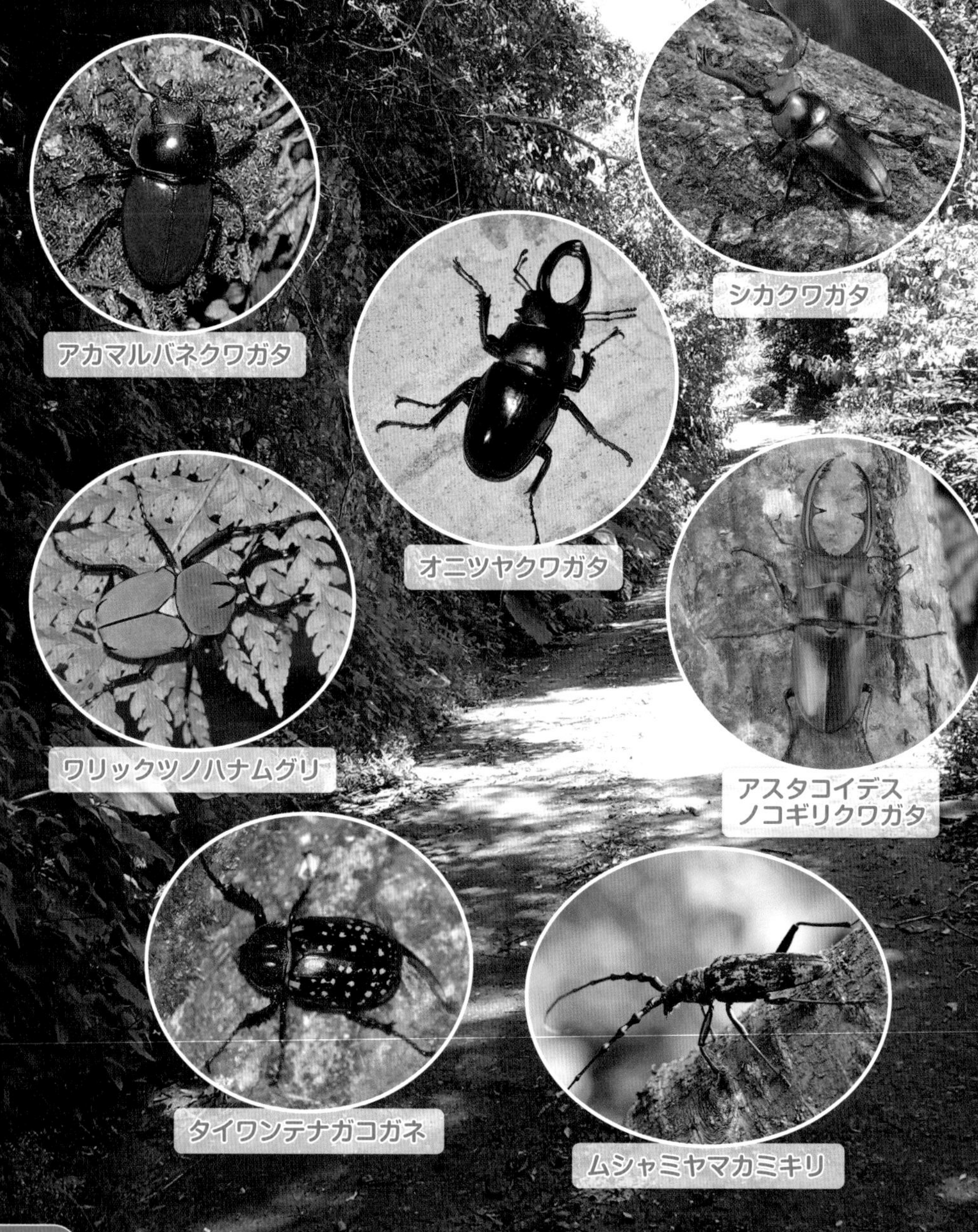

アカマルバネクワガタ

シカクワガタ

オニツヤクワガタ

ワリックツノハナムグリ

アスタコイデスノコギリクワガタ

タイワンテナガコガネ

ムシャミヤマカミキリ

行ってみよう！

埔里には、昆虫の標本を展示している施設があります。昆虫標本の集散地だったころから、標本商だった人たちが集めた標本が展示してあります。昆虫観察をするついでに、昆虫の標本も見ましょう。

木生昆虫博物館

埔里は、日本統治時代から 1970 年代まで、日本人の昆虫採集家がおとずれる、「胡蝶の町」でした。その埔里にあって、アジアの３大昆虫館のひとつで、16000種もの標本を誇るのが木生昆虫博物館です。生きた虫が見られる昆虫園もあります。この「木生」は、新種のコウチュウやチョウを次から次へと発見し、学会の研究に大きな貢献を果たした余木生氏の名にちなんだものです。

住 南投県埔里鎮南村路 6 之 2 号
TEL 886 4 9291 3311　料 大人 120 元、小人・学生・70 歳以上 100 元　開 9:00 ～ 17:00
URL http://www.insect.com.tw (中国語)

錦吉昆虫館

ここの昆虫標本館には、地元の蝶や昆虫に加えて、多数の東南アジアの昆虫をふくめて、約２万個の標本が収蔵されています。標本も販売しています。昆虫館のとなりに、レストランがあります。

住 南投県埔里鎮堀里中山路一段 21 号
TEL 886 4 9292 0029　料 無料　開 8:00 ～ 16:00
ユーチューブは URL https://www.youtube.com/watch?v=50eWn6Agqd4

現地で困ったら

基本的に台湾では日本語があまり通じないと思ったほうがいいでしょう。そのため、スマホに翻訳アプリを入れておくことをおすすめします。

埔里の錦吉昆虫館の館長、羅さんは日本語が通じます。困ったら、羅さんに聞いて、昆虫のいい観察地を教えてもらうのもいいでしょう。ただし、あくまでも商店を経営しているので、商売の邪魔にならないようご注意下さい。

熱帯の密林の中で昆虫をさがそう

キャメロンハイランド

難易度 ★★☆

マレーシアのキャメロンハイランドは、首都クアラルンプールから北に 150km にあります。気候は熱帯になりますが、標高が高いところにあり、深い森林の山に囲まれているためにすずしく、むかしから避暑地になっていたところです。

キャメロンハイランドには雨季と乾季があります。季節の境目になる 5 月と 12 月ごろが昆虫のいい時期です。夜は相当に冷え、平均の最低気温は 15℃前後です。この、昼は暑くて夜はすずしい気候により、熱帯の昆虫と暖帯の昆虫、両方が見られます。

マレーシアの森林の中は、右の写真のように、林の下はあまり茂っていません。意外に歩きやすいですが、ガイドなしで立ち入らないようにしましょう。

マレーシアの地図

マレーシアは、低地にはプランテーションが広がって昆虫が少なく、また高地には原生林が広がっていて入ることができず、昆虫を観察するところがかぎられています。それでもペナン島やランカウィ島などの観光地で昆虫を観察することができます。

ランカウィ島
キャメロンハイランド
タラナタという都市が拠点になります。まわりには、茶畑が広がっています。
クアラルンプール空港からキャメロンハイランドまで
車で約４時間、
バスで４～５時間
ペナン島
観光地ですが、昆虫も多く見られます。ペナンバタフライファームがあります。
クアラルンプール空港からペナンまで
飛行機で１時間、
車で約５時間
フレーザーズヒル
避暑地になっています。原生林があり、とても植物が豊かなところです。昆虫も多くいます。採集は禁止されています。
クアラルンプール空港からフレーザーズヒルまで
車で約２時間30分
クアラルンプール
マレーシア
シンガポール
スマトラ島

キャメロンハイランドは、現在採集禁止になっています。採集はやめて、観察するだけにしましょう。またフレーザーズヒルも環境を保全しているため、採集は禁止になっています。ほかのところでも採集禁止にしている場所があります。

標本や生きた昆虫の持ち出しには、法律の規制があります。持ち出す国の法律もありますが、日本では生きた昆虫は植物防疫法により検疫を受ける必要があります。これはとても面倒な手続きになり、その間に昆虫が死ぬこともあります。

キャメロンハイランドの森の昆虫

キャメロンハイランドはチョウの宝庫です。町の中にもいますが、森に入り、沢に出ると、そこではたくさんのチョウが水を吸いに、沢におりてきています。中にはアカエリトリバネアゲハなどのとてもきれいなチョウもいます。

また森の中にはビワハゴロモやハナカマキリなど、ほかでは見られない昆虫がたくさんいます。

アカエリトリバネアゲハ

コノハムシ

ルリモンアゲハ

トラフタテハ

オオツバメの１種（ガ）

ビワハゴロモの１種

ヒシムネカレハカマキリ

ベニシロチョウ

オオイナズマ

アサギシロチョウ

ハナカマキリ

樹液を見つけよう

マレーシアはカブトムシ、クワガタムシが多いところです。とくにクワガタムシは種類が多く、また形が変わっているものや色がついたものも多くいます。樹液がありそうなところで、カブトムシやクワガタムシなどをさがしてみましょう。あかりのあるところでしたら、そこに夜に行ってみましょう。

コーカサスオオカブト

アトラスオオカブト

フェモラリスツヤクワガタ

ギラファノコギリクワガタ

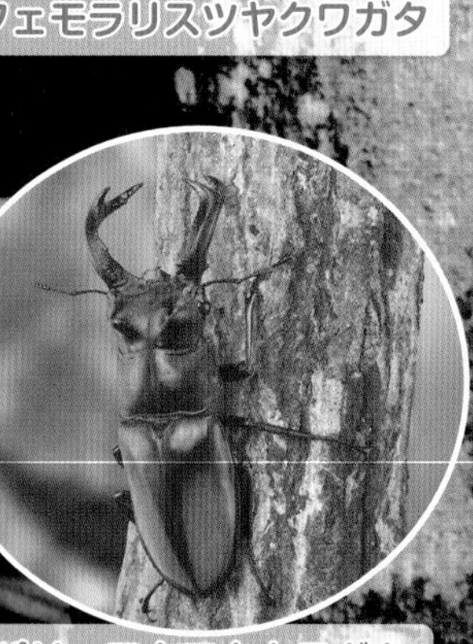

パリーフタマタクワガタ

マレーテナガコガネ

行ってみよう！

マレーシアには生きたチョウや昆虫を展示している昆虫園のような施設があります。博物館が併設されているところもあるので、ぜひ行ってみましょう。

クアラルンプール・バタフライ・パーク

マレーシアの首都クアラルンプールにあります。園の中には人工の熱帯雨林があり、かなり広い公園です。100 種類以上のチョウを約 6000 頭飼育しています。博物館もあります。

住 Jalan Cenderawasih, Tasik Perdana, 50480 Kuala Lumpur, Wilayah Persekutuan Kuala Lumpur, Malaysia TEL +60326934799
URL http://www.klbutterflypark.com/

ペナン・バタフライ・ファーム

観光地であるペナンにあります。温室で囲った園内に、120 種類のチョウが 4000 頭飛んでいます。チョウだけでなく、ほかの昆虫や爬虫類なども飼育されています。また、標本も展示しています。

住 830 Jalan Teluk Bahang, Penang, Malaysia
TEL +6048888111
URL http://www.butterfly-insect.com

行く前に…

キャメロンハイランドで昆虫観察をする前に、確実に昆虫を観察するのなら、情報を集めておく必要があります。インターネットを活用してください。

1. ツアーに申し込む

旅行代理店がツアーを企画したり、個人で昆虫教室をしている人がいたりします。この場合、現地にくわしい人が案内をするので、観察ができないことはないです。インターネットで調べてみましょう。

2. 行った人に聞いてみる

もし、よく行くカブトムシ・クワガタムシのショップがあったら、そこの人に聞いてみましょう。

ガイドなどの紹介をしてくれることもあるし、いい場所を紹介してくれることがあります。また、現地での注意点なども教えてくれます。

3. 現地でガイドをやとう

キャメロンハイランド付近には、昆虫採集を案内するガイドが少ないながらいるようです。そのような人に観察のガイドをお願いしたら、昆虫観察が楽にできます。ただ、料金が高いので、あまり一般向きではありません。

昆虫写真の撮り方

楽しい昆虫観察をするときには、写真を撮っておきましょう。写真は記念になるだけでなく、自由研究にもつかえます。また、昆虫がいたところの風景といっしょに昆虫の写真を集めていくと、どんなところにどんな昆虫がいるのかがわかってきます。

最近はデジタル一眼レフカメラも安くなってきましたが、お子様にはコンパクトデジタルカメラの方がつかいやすいでしょう。

カメラの種類と、長所と短所

カメラには、大きくデジタル一眼レフカメラやミラーレスカメラ、コンパクトデジタルカメラ（コンデジ）、スマートフォンなどがあります。それぞれ長所と短所があります。気軽に選ぶなら、コンパクトデジタルカメラがいいでしょう。

デジタル一眼レフカメラ／ミラーレスカメラ

レンズをかえたり、設定を変えたりすることで、きれいな写真を撮ることができます。

長所

・レンズを変えることにより、望遠も広角も接写もできる。
・写真がきれいに写る。

短所

・カメラ本体もレンズも値段が高い。

スマートフォン

スマートフォンで撮った写真でも、プリントすれば、きれいです。

長所

・かんたんに写真を撮ることができる。
・クローズアップレンズをつけることで接写ができる。

短所

・昆虫にピントを合わせにくい。

コンパクトデジタルカメラ

レンズは交換できないので、ついているレンズの性能で写る写真が決まります。昆虫の写真を撮るには、昆虫に近寄れる、接写に強いカメラを買いましょう。

長所

・かんたんに写真を撮ることができる。
・写真はそれなりにきれい。

短所

・昆虫にピントを合わせにくい。
・レンズをかえられない。接写に強いカメラでは望遠写真が撮れない。

野外での昆虫撮影

昆虫の撮影では、どこにピントを合わすか、絞りをどうするか、どうやって手ぶれをふせぐか、ISO はどうするかなど、どのように写真を撮るかが問題になってきます。ここでは、基本的な撮影のしかたを紹介します。

ピントは目に合わす

ピントは昆虫の目（複眼）に合わせましょう。つのや大あご、はねにピントが合った写真は、かっこよく、きれいに写っていても、目にピントがきていないので、しまった写真にはなりません。下の写真を見比べてみましょう。

目にピントが合った写真。はねはボケていても、全体にしまりが出てきます。

目にピントが合っていない写真。はねはきれいに写っていますが、全体的にしまりがない写真です。

絞って撮影しよう

昆虫を撮影するときには接写レンズをつかいますが、ふつうの撮影とちがい、絞りをできるだけ絞ります。絞らないと、ボケて種類がわからない写真になります。

ボケていい写真のように見えますが、肝心の被写体の後ろまでボケてしまい、よくわかりません。

ボケはほとんどありません。そして、昆虫の後ろまでよくわかるような写真になっています。

手ぶれをなくす

ピントがきれいに合っていても、手ぶれをおこした写真はきれいに写りません。レンズの絞りの数値を上げると、シャッタースピードがおそくなるので、ISO を上げましょう。暗いところでは、カメラを動かないように、固定して写真を撮りましょう。

手ぶれがおこった写真。ISO を上げて、シャッタースピードを上げることで、ふせぐことができます。

手ぶれのない写真。輪郭がくっきり出ています。

近くに石や木などがある場合は、そこにカメラをくっつけて撮影すると、手ぶれを防げます。

暗いところや、じっくり写真を撮ることができるときは、三脚をつかうことをおすすめします。

昆虫がいた環境の写真もとろう

環境といっしょに昆虫の写真を撮る方法もありますが、まずは昆虫を撮影し、そのあとに、その昆虫がいた環境の写真も撮りましょう。

左の写真だけ見ると、林の中のヤナギの木に止まっているクワガタムシに見えますが。上のような、道路わきの、川べりのヤナギの木で撮影したものです。それがわかるように、昆虫がいた環境の写真を撮っておきましょう。

記録をとろう！

楽しい昆虫観察をしたら、観察した昆虫が何をしていたか、どこにいたかなど、記録にまとめてみましょう。記録をつけると、あとで読んでいい思い出になるだけでなく、記録をまとめれば自由研究にもなります。

昆虫観察をするときに、記録するために、メモ帳とえんぴつをもっていきましょう。カメラがあると、さらに記録がわかりやすくなります。

記録のつけ方

記録をつけるときに大事なのは、①**いつ**　②**どこで**　③**なにが**　④**なにを**　⑤**どのようにしていたか**　です。　あと、絵も描いておきましょう。

①いつ

観察日と時間を書こう。これを「17年8月13日」と書く人がいますが、あとで平成17年だったか西暦2017年だったか、わからなくなることがあるので、西暦で書きましょう。

②どこで（環境）

どのような環境で観察したかも大事な情報です。観察した環境も描きましょう。地図などの絵が入るととてもわかりやすくなります。

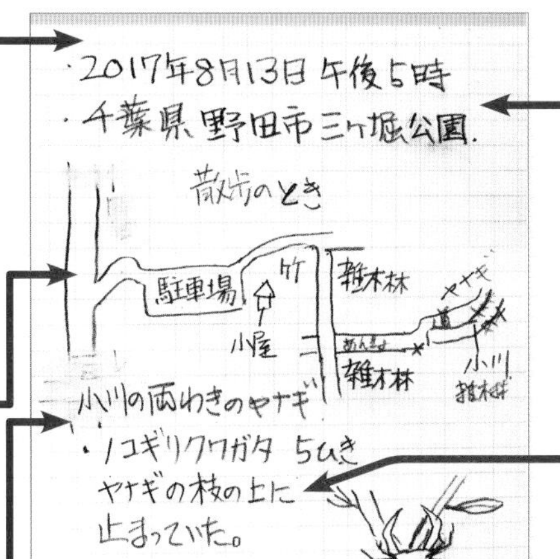

・2017年8月13日 午後5時
・千葉県野田市三ヶ堀公園.
散歩のとき
竹
駐車場
雑木林
ヤナギ
道
小屋
雑木林
小川
雑木林
小川の両わきのヤナギ
・ノコギリクワガタ 5ひき
ヤナギの枝の上に
止まっていた。

②どこで

県名や市町村名を書きます。そのあとに、地名（公園名、学校名）を書きます。地名は漢字で書きましょう。

④なにを

観察していた昆虫がなにをしていたのかを書きます。この場合、どのくらいの太さの枝に止まっていたかを書くといいでしょう。

③なにが

観察した昆虫の種類を書きます。これがないと、観察記録の価値がなくなります。わからないときは、帰ってからでも調べましょう。

⑤どのようにしていたか

観察していた昆虫がどのようにしていたのか、絵を描くと、非常にわかりやすくなります。じょうずな絵を描かなくてもかまいません。

写真も入れよう

記録に写真があれば、そのときのようすがよくわかります。環境の写真といっしょに、メモの下や次のページにはってみましょう。すばらしい記録になります。

種名はしっかり調べよう

観察した昆虫がなんの種類かわからなかったら、観察の記録には意味がありません。図鑑で調べましょう。わからなかった場合は、何のなかまか（たとえばカミキリムシのなかま）まで調べて、写真をつけましょう。

採集して観察しよう！

見たり写真を撮るだけでも昆虫観察ができますが、できるなら採集したほうがじっくり昆虫を観察でき、種類もわかりやすいです。写真をとるよりも採集するほうが楽です。
採集が禁止されている場所や採集禁止の種類は、絶対に採集しないでください。

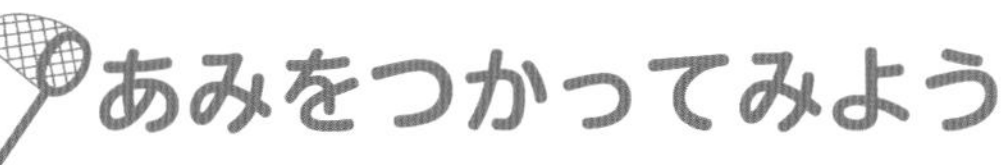

あみをつかってみよう

昆虫をとるときには、あみをつかいます。昆虫をうまくつかまえるための、あみをつかうこつがあります。こつを知って、上手に昆虫をとりましょう。

あみの基本的なつかい方

飛んでいるチョウやトンボを追いかけ回している子どもをよく見ますが、追いかけ回すと昆虫は逃げます。花に止まっているところをとったり、まちぶせしたりしたほうがとりやすいです。地面に止まっているものは、そっとあみをかぶせます。

●かぶせる

地面や、草丈の低い草や花に止まっているチョウなどは、あみを上からかぶせます。横から逃げられることがあるので、注意しましょう。

●横にはらう

花や草に止まっている昆虫や飛んできた昆虫は、横にはらってとります。力いっぱいふるのではなく、落ち着いてふりましょう。

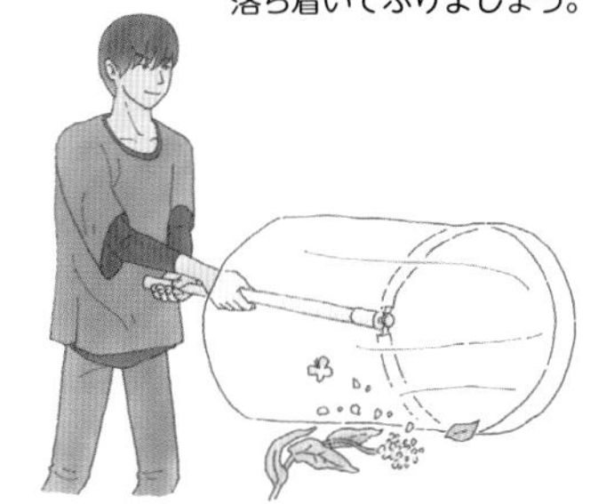

●あみにはいったら、あみをひねる

あみをふって、あみのなかに昆虫がはいったら、あみをひねって、つまかえた昆虫があみから出ないようにします。

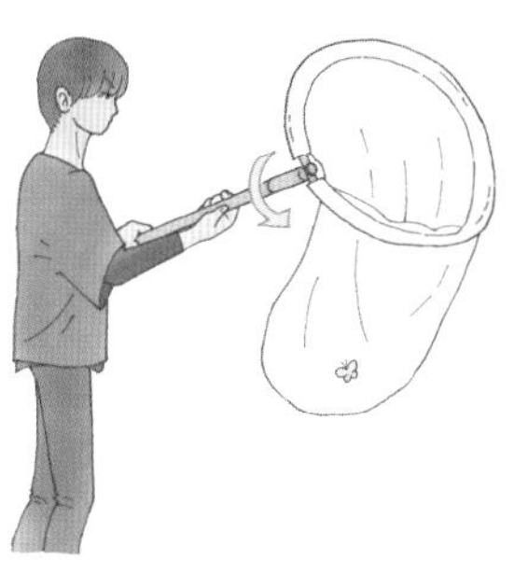

●コウチュウの場合は

草丈の低いところにいるものは、横にはらってすくいます。花に止まっているものは、あみを下におき、あみの中に落とします。

●草むらをあみではらっていく

草むらをじぐざぐにあみをはらっていくと、バッタのなかまやコウチュウなど、いろいろな昆虫がはいってきます。

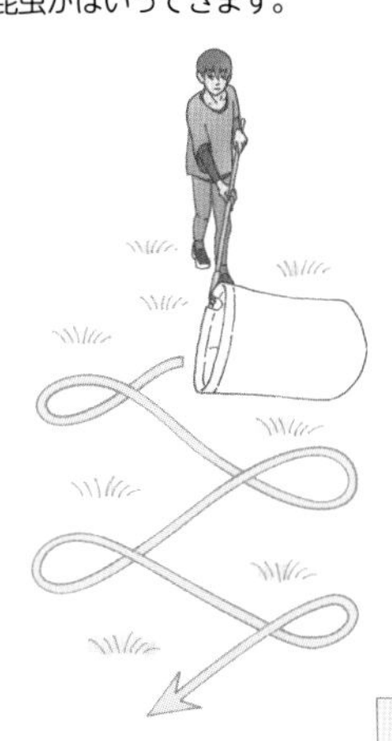

花に止まっている昆虫のとり方

草原などの花に止まっているチョウやトンボは、とてもとりやすいものです。花ごとはらってとります。バッタなどは慎重にふりましょう。コウチュウなら花の下にあみを入れて、その中にコウチュウを落とします。

●花ごと網ではらう

花や草に止まっているチョウやトンボは、花や葉ごとすくうと、より確実にとることができます。茎のかたさに負けないようにふってください。

●花の下からあみに入れる

花の下からあみにいれ、あみをゆすります。するとコウチュウは下に落ちてきます。葉に止まっているコウチュウも同じようにしてとります。

木の花に止まっている昆虫のとり方

木の花などに止まっているチョウやトンボは横にはらってとります。花にいるコウチュウは、花の下から花をあみの中に入れ、ゆすって、コウチュウをあみの中に落とします。ビニールがさを花の下において、あみで花をたたく方法もあります。

●花の下からあみに入れる

花を、下からあみにいれ、あみをゆすります。するとコウチュウは下に落ちてきます。葉に止まっているコウチュウも同じようにしてとります。

●下にビニールがさをおいて、あみで花をたたく

花をたたくと、コウチュウは下に落ちてきます。落ちてきたコウチュウをビニールがさでひろいます。花をたたくときは、思い切りたたかず、トントンとたたきます。

木の幹に止まっている昆虫のとり方

セミなどの木の幹に止まっている昆虫は、わくが小さなあみをつかうと、あみと幹のすき間がせまくなるので、非常にとりやすくなります。細い枝に止まっているコウチュウは、その下に小さなわくのあみをさし出して、ちょっとゆらして、中に落とします。

●セミなどに小さなわくのあみをかぶせる

あみをかぶせると、セミなどは飛んで逃げようとしてあみの中に入ります。入ったところであみをひねり、逃げないようにしてから、手元にたぐりよせます。

●枝の下にあみを入れ、ちょっとゆらす

細い枝に止まっているコウチュウは、わくの小さなあみを下に入れ、枝をゆすります。するとコウチュウはあみの中に落ちてきます。

昆虫採集をもっと知りたい人には…

昆虫採集のしかたをもっと知りたい人には、下の２つの本がおすすめです。いずれも昆虫採集のしかただけでなく、標本のつくり方ものっています。

学研の図鑑 LIVE ポケット asobi「昆虫採集」

子ども向けにつくられた本です。昆虫のさがし方や採集のしかたがのっています。子どもにはこれ１冊で十分です。
出版元：Gakken
判型：新書版４色 144 ページ
ISBN：978-405205036-7
定価：980 円
（税込 1078 円）

増補改訂第２版　昆虫の図鑑 採集と標本の作り方

九州・沖縄の昆虫がのっている図鑑です。昆虫採集のしかたと標本のつくり方がていねいに書かれています。
出版元：南方新社
判型：A5 判 262 ページ
ISBN：978-486124423-0
定価：3500 円
（税込 3850 円）

昆虫ショップの紹介

採集の器具や標本づくりの器具は、専門の昆虫ショップで買いましょう。なかには、昆虫のことをよく知っている店員がいて、いろいろなことを教えてくれるかもしれません。近くにショップがない方は、通信販売で買いましょう。

昆虫文献六本脚

昆虫文献六本脚（ろっぽんあし）は、昆虫関係の本を新刊だけでなく古本もたくさん扱っています。また地方の昆虫同好会の会誌を取り扱ったり、昆虫雑誌のバックナンバーも扱っているので、情報を手に入れたいときにはとても便利です。自社発行の書籍もあります。また、オリジナルの採集用品など、昆虫採集用品が豊富です。

URL http://kawamo.co.jp/roppon-ashi/index-j.html
住 〒102-0075　東京都千代田区三番町 24-3 三番町 MY ビル 3 階　川茂株式会社内
TEL 03-6825-1164
営 13 ～ 16 時　休 水・土・日・祝祭日

南陽堂書店

昆虫採集器具などは扱っていませんが、昆虫関係の本をたくさん取り扱っています。北海道札幌市にある書店です。店長は昆虫好きで、北海道のチョウの情報をよく知っているので、聞いたらいろいろ教えてくれるかもしれません。

URL http://www.nanyodoshoten.com/
住 〒060-0808　札幌市北区北８条西５丁目 TAKAGI ビル１・２Ｆ
TEL 011-716-7537

通信販売の店舗

山形昆虫の家 ぱぴよん

ここで販売している展翅板（チョウなどの標本作成に使用するもの）は非常に質がよく、昆虫の愛好家の中でつかっている人が多くいます。また、一般的な採集用品・標本用品も多く扱っています。

URL https://marsha009.wixsite.com/papiyon
住 〒990-2482
山形県山形市久保田 3-4-24
TEL 023-644-6034

バードウイング

自社の工場で製作した標本箱を販売しています。値段を見ると高いように思いますが、密閉度と精巧さなど、非常に品質が高いものです。

URL http://ww31.tiki.ne.jp/~birdwing/
住 〒709-4312　岡山県勝田郡勝央町黒土 743
TEL 0868-38-1631

NRC

NRC は出版事業のほかに、通信販売で昆虫器具も販売しています。扱っている昆虫器具は、ホームページを参照してください

URL http://www.nrc-yuzuriha.com/index.html
住 〒554-0002
大阪市此花区伝法 1-3-18-405
TEL 06-6461-4580

さくいん

日本の虫旅

日本全国の昆虫スポットを親子で旅する

2024年 7 月9日　初版第1刷発行

著作編集 ◎ 地球の歩き方編集室

発行人 ◎ 新井 邦弘
編集人 ◎ 由良 暁世
発行所 ◎ 株式会社地球の歩き方
〒141-8425 東京都品川区西五反田 2-11-8

発売元 ◎ 株式会社Gakken
〒141-8416 東京都品川区西五反田 2-11-8

印刷製本 ◎ 株式会社ダイヤモンド・グラフィック社

編集・執筆 ◎ Bug on（里中正紀）

イラスト ◎ ふらんそわ～ず吉本 / 小堀文彦
デザイン ◎ エメ龍夢
表紙 ◎ 日出嶋 昭男
校正 ◎ 長谷川チヤコ

監修 ◎ 岡島秀治（東京農業大学名誉教授）

写真提供 ◎ 鈴木知之 / 対馬 誠 / 森 一弘 / 石川順也 / 境 良朗 / 阿部 剛 / 櫻谷靖雄 / 吉岡史雄 / 伊藤ふくお / 竹井 一 / 朝日純一 / 小野克己 / 伊藤 研 / 羅 錦吉 / 宮城秋乃 / 比嘉正一 / 青木一宰 / 新田敦子 / 戸苅淳 / 古川雅道 / 高木秀了 / 杠 隆史 / 田村昭夫 / 髙木眞人 / 宇都宮靖博 / 面河山岳博物館 / ペンション山の上 / 小原みね子 / 三宅誠治 / 谷角素彦 / 有田忠弘 / 福田輝彦 / Bug on（里中正紀）/ トンボ自然公園 /pixta/ 鶴 智之 / i-stockphotolaibrary/ 木村義志 / 有田斉 /photolibrary/ モンスター

協力 ◎ 遠山 豊 / 植村好延 / 杠 隆 / 有田忠弘 / 青木一宰 / 対馬 誠 / 森 一弘 / 黒田 哲 / 阿部 剛 / 伊藤 研 / 田村昭夫 / 山本勝之 / 小島慎一 / 多賀敏正 / 宇都宮靖博 / 境 良朗 / 小原みね子 / 古川雅道

国内の地図は「地理院地図（電子国土 Web）」（https://maps.gsi.go.jp/）をもとに株式会社地球の歩き方が作成しました。

制作担当 ◎ 上原 康仁

本書の内容について、ご意見・ご感想はこちらまで
https://www.arukikata.co.jp/guidebook/toukou.html

●この本に関する各種お問い合わせ先
・本の内容については、下記サイトのお問い合わせフォームよりお願いします。
URL ▶ https://www.arukikata.co.jp/guidebook/contact.html
・在庫については　Tel ▶ 03-6431-1250（販売部）
・不良品（乱丁、落丁）については　Tel ▶ 0570-000577
学研業務センター　〒354-0045　埼玉県入間郡三芳町上富 279-1
・上記以外のお問い合わせは　Tel ▶ 0570-056-710（学研グループ総合案内）
※本書に掲載している情報は 2023 年 6 ～ 10 月時点に調査したものです。
・発行後の更新・訂正情報は　URL ▶ https://book.arukikata.co.jp/support/

地球の歩き方 旅の図鑑シリーズ